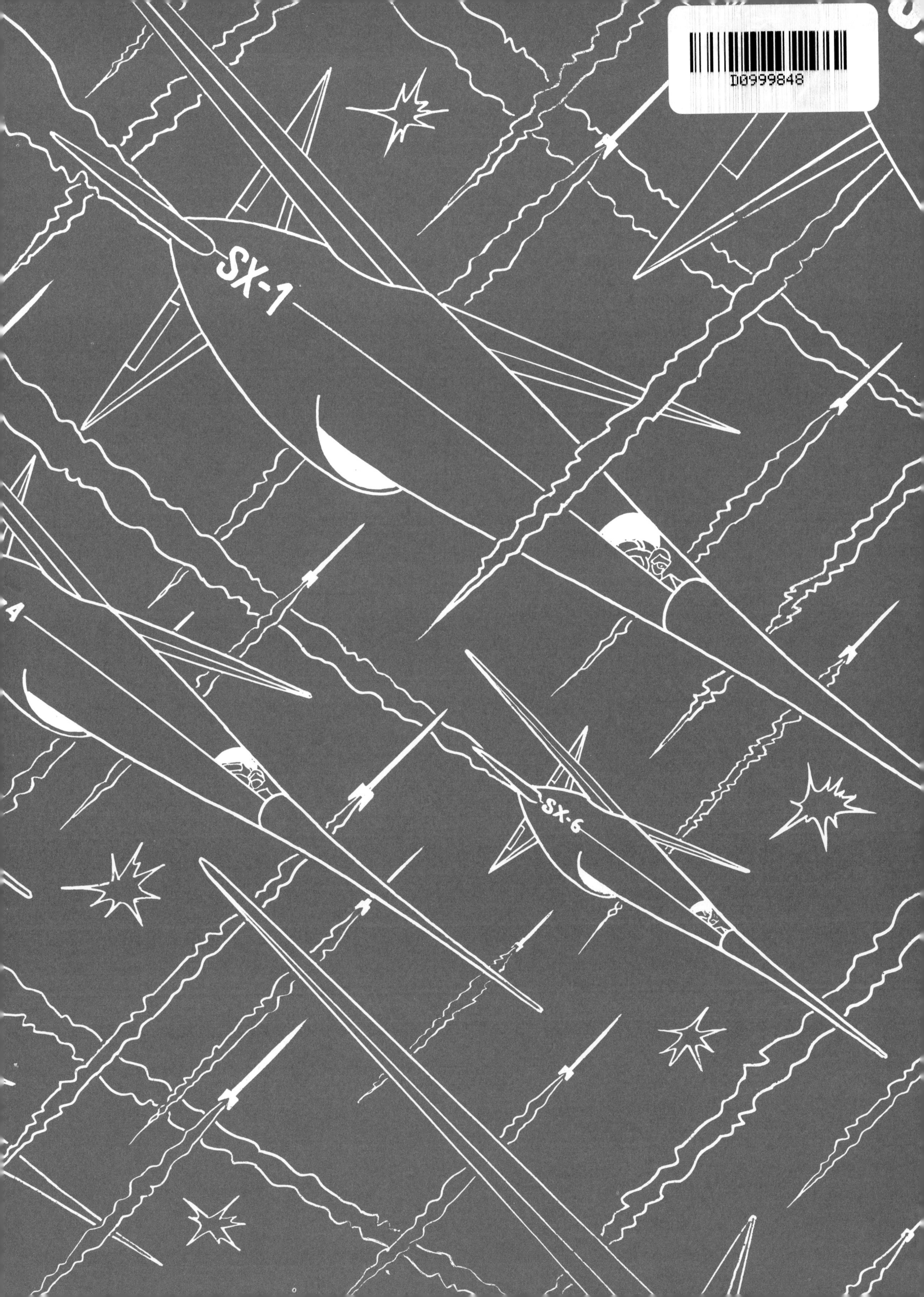
SX-1
SX-6

E.P. JACOBS

LE SECRET DE L'ESPADON

SX1 CONTRE-ATTAQUE

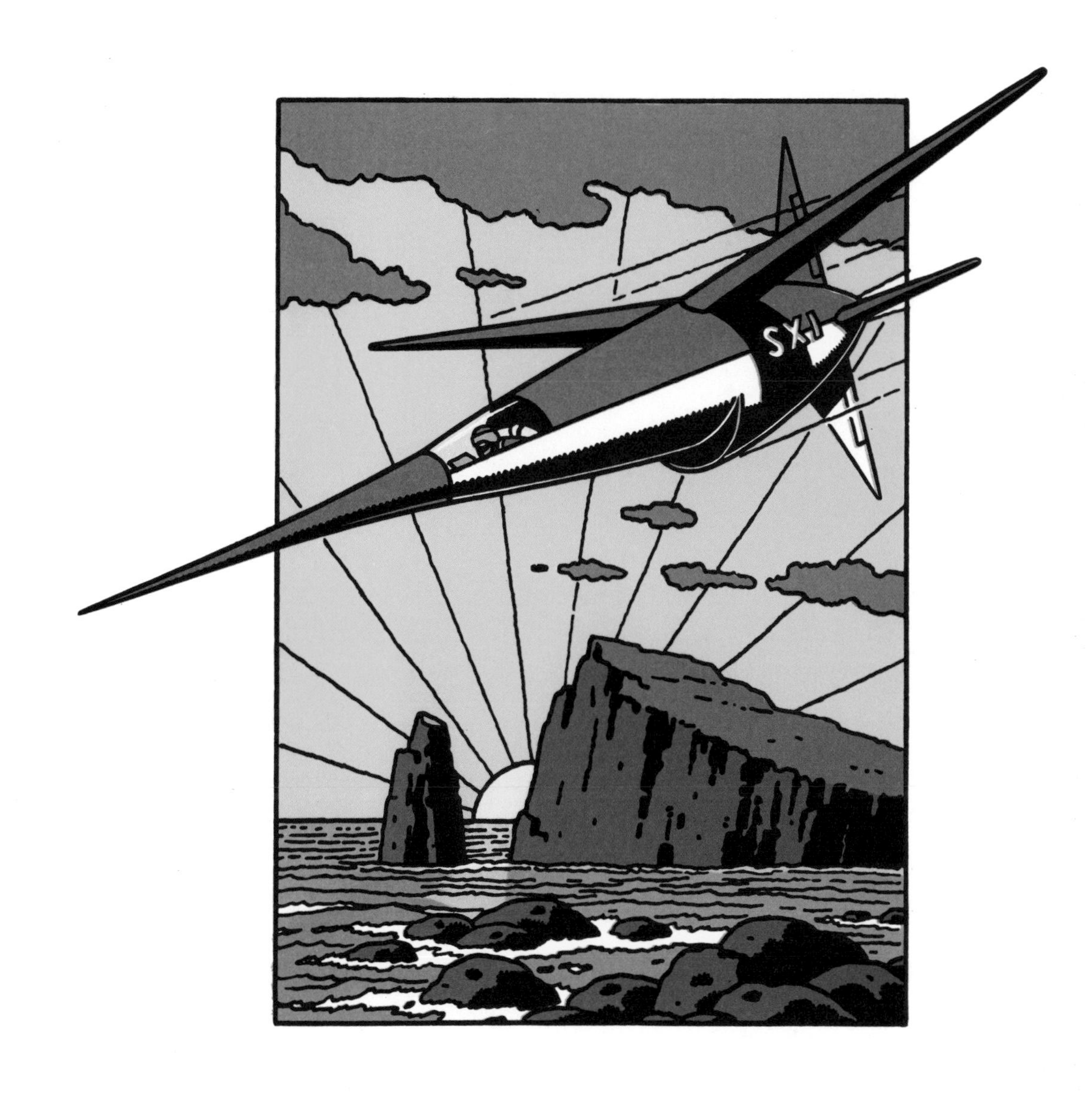
SX1

LES EDITIONS BLAKE ET MORTIMER
BRUXELLES

Lettrage: **Dominique Maes**
Coloriage: **Philippe Biermé, Luce Daniels**

D/2000/0086/288
ISBN : 2-87097-005-6

Imprimé en Belgique par Proost en août 2000

RESUME DES EPISODES PRECEDENTS :

SUITE A L'ATTAQUE SURPRISE DES TROUPES DE L'USURPATEUR BASAM-DAMDU, LE CAPITAINE BLAKE, DE L'INTELLIGENCE SERVICE ET LE PROFESSEUR MORTIMER SONT FORCES DE QUITTER PRECIPITAMMENT L'USINE DE SCAW-FELL A BORD DU "GOLDEN ROCKET", AFIN DE REJOINDRE LEUR BASE SECRETE ET PERMETTRE A MORTIMER DE TERMINER LA MISE AU POINT D'UNE NOUVELLE "ARME TOTALE" : L'ESPADON...

EDGAR. P. JACOBS

...ALORS QUE LE BLINDE CANONNE LE REFUGE DE BLAKE ET MORTIMER, LE DEFILE RETENTIT SOUDAIN DU BRUIT D'UNE VIOLENTE FUSILLADE...

HEUREUSEMENT NOS HEROS ONT LE TEMPS DE FAIRE DETRUIRE SCAW-FELL ET SES SECRETS MILITAIRES AVANT L'ARRIVEE DES TROUPES JAUNES, COMMANDEES PAR LE "COLONEL OLRIK"...

EDGAR-JACOBS

LE BEZENDJAS N'A PAS RELACHE SA SURVEILLANCE ET...

MAIS, LE "GOLDEN ROCKET" EST ABATTU PAR UNE PATROUILLE DE REQUINS STRATOSPHERIQUES. COMMENCE ALORS UNE FUITE EPERDUE DE BLAKE ET MORTIMER QUE, NASIR, SERGENT DU MAKRAN LEVY CORPS, SAUVE DE JUSTESSE D'UN PIEGE TENDU PAR OLRIK . . .

EDGAR . P. JACOBS

UN BLOC DE ROCHE SE DETACHE SOUDAIN, ET BLAKE EST PRECIPITE DANS LE VIDE !...

HELAS, AU COURS DE LA POURSUITE, MORTIMER EST PRIS PAR LES JAUNES. MAIS AVANT D'ETRE CAPTURE,
IL REUSSIT A DISSIMULER LES PLANS DE L'ESPADON...

EDGAR. P. JACOBS.

SAISISSANT SES PISTOLETS, MORTIMER VIDE SES DEUX
CHARGEURS DANS LA DIRECTION DU PROJECTEUR.

UN MESSAGE CODE TRANSMIS PAR MORTIMER AU COURANT DE SA CAPTIVITE PERMETTRA A BLAKE ET NASIR DE LOCALISER ET DE RECUPERER LES PLANS...

DANS LE CIEL DE LHASSA, NOUVELLE CAPITALE DU GRAND EMPIRE MONDIAL JAUNE, VIENT D'APPARAITRE L' "AILE ROUGE II", L'AVION PERSONNEL DU COLONEL OLRIK. VOICI QUI NE PRESAGE RIEN DE BON !...

CEUX-CI ORGANISENT ALORS L'EVASION DE MORTIMER
EN COMPAGNIE DE QUI, ILS SE RETROUVENT A BORD DU SOUS-MARIN SII QUI ECHAPPE DE PEU
A UNE ESCADRE DE TORPILLEURS...

E. P. JACOBS

"TIENS, TIENS, N'EST CE PAS TOI QUI TRAVAILLAIS A LA CLOTURE, L'AUTRE JOUR ?..."
DIT SOUDAIN OLRIK EN FIXANT SUR NASIR UN REGARD INQUISITEUR.

UN MOIS APRES CES DRAMATIQUES EVENEMENTS, UN TRAIN STATIONNE EN GARE DE KARACHI. C'EST UN CONVOI D'INTELLECTUELS ET DE TECHNICIENS DESTINES A L'UN DES SINISTRES CAMPS DE CONCENTRATION DE L'HIMALAYA.
Ah! Enfin... Ça se termine!...

A propos, j'ai vu Li, ce matin; il paraissait fort déprimé par cette interminable enquête sur l'évasion de Mortimer...
Mauvaise affaire pour Olrik, cette histoire-là.

Oui... Et ceci entre nous: le docteur Fo aurait accusé Olrik, devant le Grand Conseil, de jouer double jeu et d'avoir essayé de s'approprier les plans de l'Espadon. Le colonel a protesté, évidemment. Cependant, depuis son retour de Lhassa, il n'est plus sorti de la résidence, dont la garde a été renforcée... Ordre de l'Empereur, paraît-il...
Résidence surveillée, hein?

PENDANT CE TEMPS, A L'INTERIEUR D'UN WAGON, UN GROUPE DE PRISONNIERS DISCUTE DES EVENEMENTS...
...Oui, les gars, un vrai roman d'aventures! Enlevé d'abord par un hélicoptère, puis par un sous-marin... Et cela à Karachi! Sous le nez d'Olrik! Les Jaunes, pourtant, n'avaient pas regardé à la dépense! Torpilleurs, avions, radar et tout! Et malgré ça, pfuit! Envolés! Evaporés!
Alors, vous pensez que le sous-marin a pu rejoindre la haute mer, et que...

A CE MOMENT, LA PORTE S'OUVRE AVEC VIOLENCE ET UN PERSONNAGE EN PITEUX ETAT EST POUSSE DANS LE WAGON A COUPS DE CROSSE.
Bon voyage!...

D'où venez-vous comme ça, l'ami?...
Mon nom est Bell, Donald Bell, en mission à Karachi. J'étais parvenu à me cacher jusqu'ici, mais...

Donald Bell?... Seriez-vous par hasard l'ingénieur Bell de l'Atomic Energy Commission?...
Comment?... Vous me connaissez?

Non, mais je connais très bien votre frère, le lieutenant Archie Bell... Il m'a souvent parlé de vous! Heureux de vous connaître, Bell!... Mais, j'oubliais... Jack Harper, ancien chef de district dans le Nord...
Ça, par exemple! Quelle surprise!

Dites donc, Harper, voyez un peu ce que je viens de trouver sous la paille...
Oh! Oh! Un levier de fer! Voilà qui pourra nous servir à l'occasion...

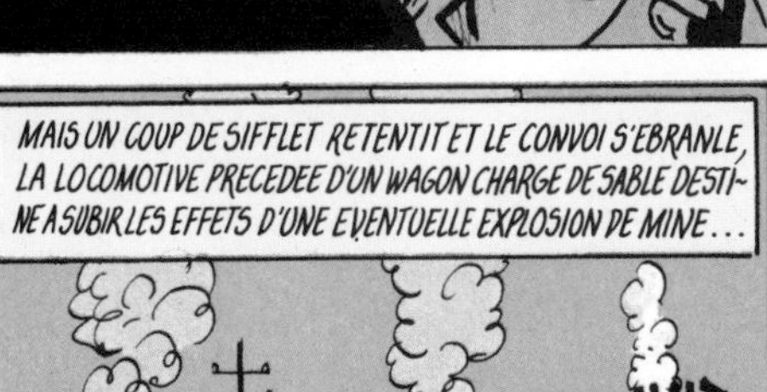

MAIS UN COUP DE SIFFLET RETENTIT ET LE CONVOI S'EBRANLE, LA LOCOMOTIVE PRECEDEE D'UN WAGON CHARGE DE SABLE DESTINE A SUBIR LES EFFETS D'UNE EVENTUELLE EXPLOSION DE MINE...
TUUUT

...TANDIS QU'EN QUEUE VIENT UN WAGON BLINDE TRANSPORTANT UNE GARDE FORTEMENT ARMEE...

LE TRAIN ROULE DEPUIS DES HEURES SOUS UN SOLEIL DE FEU...

MAIS VERS LA FIN DU JOUR ET ALORS QU'ILS S'ENGAGE DANS UN DEFILE, UNE VIOLENTE EXPLOSION REDUIT EN MIETTES LE WAGON DE TETE.
BANG

LE TRAIN STOPPE BRUTALEMENT ET LA FUSILLADE ECLATE AUSSITOT. LE MECANICIEN TENTE DE FAIRE MACHINE ARRIERE, MAIS LA MANŒUVRE EST ENTRAVEE, UNE DES BIELLES A ETE COINCEE PAR LES DEBRIS DE L'EXPLOSION. LE CONVOI EST PARALYSE.

ENFERMES DANS LES WAGONS, LES PRISONNIERS S'EFFORCENT DE SUIVRE LES PHASES DE L'ESCARMOUCHE.
Une attaque des partisans, sans aucun doute !...
... Ça a l'air de chauffer ! . . .
Hum ! Ça n'ira pas tout seul, sergent . . .
Je le pense, monsieur... C'est ce sacré wagon qui leur permet de tenir ! . . .

EN EFFET, BIEN QU'AYANT ECHOUE, LA TENTATIVE DE RETRAITE A CEPENDANT REUSSI A FAIRE SORTIR LE WAGON BLINDE DE L'ETROIT DEFILE DANS LEQUEL IL SE TROUVAIT ENGAGE, LUI PERMETTANT DE BALAYER DE SON FEU L'ESPACE ENVIRONNANT.

Dites donc, Harper, ne serait-ce pas le moment d'user de notre levier ? Il doit être possible de soulever le plancher avec ça ! . . .
Hé ! Voilà une fameuse idée, Bell ! . . .

BIENTOT, SOUS LES VIGOUREUX EFFORTS D'HARPER, LE PLANCHER COMMENCE A CEDER . . .
Tenez ferme ! . . .
Allez-y, Jack ! . . . Ça bouge ! . . .

Goddam ! Nous ne pouvons pourtant pas nous éterniser ici. L'aviation peut nous tomber dessus d'un moment à l'autre ! . .

Monsieur, si vous m'y autorisez, je vais terminer ça à la grenade... Un homme seul a plus de chance de pouvoir s'approcher.
All right, Mac, mais pas d'imprudence . . .

PENDANT CE TEMPS, HARPER ET SES COMPAGNONS AYANT REUSSI A PRATIQUER UNE BRECHE DANS LE PLANCHER, SE LAISSENT GLISSER ENTRE LES RAILS.
Attention ! Le wagon blindé est juste derrière le nôtre !
MAC, QUI S'EST AVANCE EN RAMPANT JUSQU'AU PIED DU REMBLAI, SAISIT UNE GRENADE ET EN ARRACHE LA GOUPILLE.

MALHEUREUSEMENT, DE LEUR POSITION DOMINANTE, LES JAUNES ONT APERÇU LE SERGENT ET COMPRIS SES INTENTIONS . . .
Attention ! Il s'est arrêté... Ne le ratez pas ! ... Vite ! ...
Soyez tranquille, lieutenant . . .

SOUDAIN, UNE GRELE DE BALLES VIENT FRAPPER LE ROC DERRIERE LEQUEL MAC S'EST ABRITE. L'UNE D'ELLES LE TOUCHE AU BRAS . . .
Aïe !
MAITRISANT SA DOULEUR, LE SERGENT PARVIENT NEANMOINS A LANCER SA GRENADE DE LA MAIN GAUCHE.

MALHEUREUSEMENT, L'ENGIN PROJETE AVEC MOINS DE FORCE, VIENT TOMBER SUR LE BALLAST, A DEUX PIEDS A PEINE DES FUGITIFS TERRIFIES . . .
!
!

MAIS BELL, PROMPT COMME L'ECLAIR, S'EMPARE DE LA GRENADE...

...ET, BONDISSANT SUR SES PIEDS, LA LANCE DANS LE WAGON BLINDE !...

AU MEME INSTANT, UNE EXPLOSION MEURTRIERE ANEANTIT, D'UN SEUL COUP, TOUTE LA DEFENSE...

En avant !...

ET LES COMMANDOS S'ELANCENT...

Hurrah !...
Bon travail, gentlemen !...

Lieutenant, voici Donald Bell, l'auteur de ce brillant exploit !...
Mes félicitations, monsieur ! Vraiment, nous vous devons une fière chandelle ! Sans votre sang-froid, je crois bien que nous aurions dû battre en retraite !
Bah ! Je n'avais pas le choix, lieutenant...

PENDANT CE TEMPS, LES COMMANDOS LIBERENT RAPIDEMENT LES PRISONNIERS DES AUTRES WAGONS.
Alors, Mac, et ce bras ?
Rien de grave, sir. One simple égratignure !

QUELQUES INSTANTS PLUS TARD, PRISONNIERS ET COMMANDOS ABANDONNENT LE SINISTRE CONVOI ET DEGRINGOLENT LE REMBLAI AU PAS DE COURSE.
Hello ! Dépêchons-nous !

APRES UNE MARCHE RAPIDE ET DIFFICILE D'ENVIRON UN MILLE ET DEMI, LA TROUPE ARRIVE A UNE ROUTE ENCAISSEE OU ATTENDENT DES CAMIONS MILITAIRES...

Rappelez-vous bien les instructions ! 50 mètres entre les camions. Pas de lumière, évidemment, et le maximum de vitesse ! Nous devons avoir atteint le point H avant l'aube. Là, nous referons le plein d'essence, nous nous reposerons et attendrons la nuit pour continuer. Ouvrez l'oeil et soyez prudents, nous sommes en plein pays ennemi. Le moindre incident mécanique peut nous être fatal !... Compris ?
All right, sir !

Et maintenant, Bell, à nous la liberté !
Le ciel vous entende, Jack !

TANDIS QU'A L'HORIZON LE SOLEIL JETTE SES DERNIERS FEUX, LA COLONNE S'EBRANLE EN SOULEVANT DES NUAGES DE POUSSIERE.

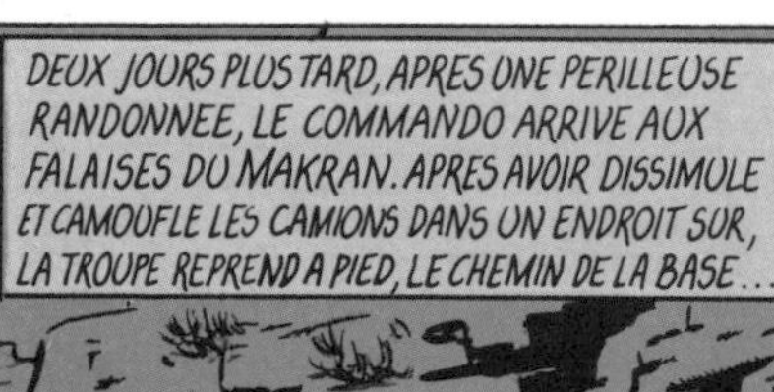
DEUX JOURS PLUS TARD, APRES UNE PERILLEUSE RANDONNEE, LE COMMANDO ARRIVE AUX FALAISES DU MAKRAN. APRES AVOIR DISSIMULE ET CAMOUFLE LES CAMIONS DANS UN ENDROIT SUR, LA TROUPE REPREND A PIED, LE CHEMIN DE LA BASE...

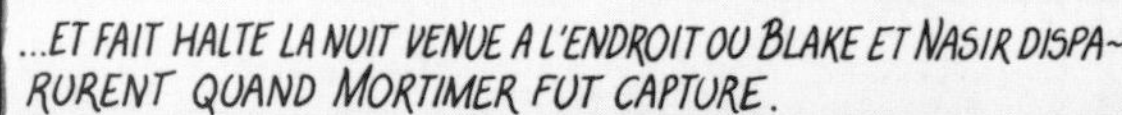
...ET FAIT HALTE LA NUIT VENUE A L'ENDROIT OU BLAKE ET NASIR DISPARURENT QUAND MORTIMER FUT CAPTURE.

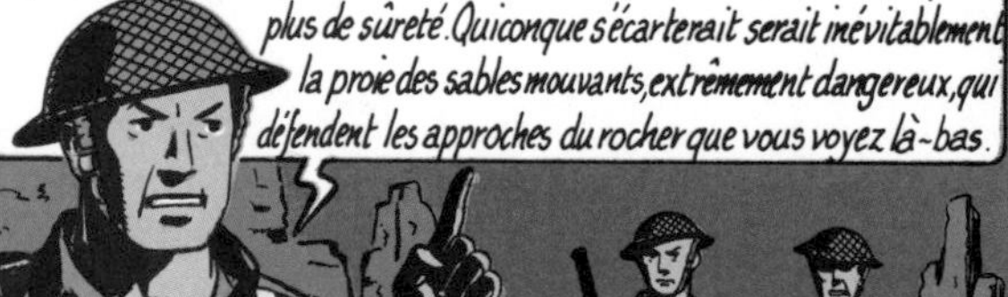
Gentlemen, veuillez écouter attentivement mes instructions, il y va de votre vie!... Nous allons franchir l'entrée de notre base, qui n'est accessible de ce côté, qu'à marée basse. Vous allez donc suivre à la file, et très exactement, la piste que je vais emprunter. Mes hommes s'intercaleront entre vous pour plus de sûreté. Quiconque s'écarterait serait inévitablement la proie des sables mouvants, extrêmement dangereux, qui défendent les approches du rocher que vous voyez là-bas.

ET LENTEMENT, AVEC CIRCONSPECTION, LES HOMMES SE METTENT EN MARCHE.

AYANT TRAVERSE SANS ENCOMBRE LA ZONE DANGEREUSE, LE LIEUTENANT S'ARRETE DEVANT L'UNE DES NOMBREUSES FISSURES QUI FENDILLENT LE ROC.
Tout le monde est là ?...
Oui, sir !

S'ETANT AVANCE JUSQU'AU FOND DE LA FISSURE, L'OFFICIER S'ARRETE DEVANT LE BARRAGE INVISIBLE FORME PAR UN ŒIL ELECTRIQUE AU CESIUM, ET SE MET A TRACER DANS L'AIR UNE SERIE DE SIGNES MYSTERIEUX.

EN INTERCEPTANT LES FAISCEAUX INVISIBLES A UNE CADENCE CONVENUE, IL FORME, SUR LE TABLEAU DE CONTROLE DU POSTE DE GUET, LE SIGNAL DE RECONNAISSANCE DES COMMANDOS.
STATION
Allô! Ici le poste de guet Makran-sector - Commando à la porte 1 - Tout est normal - Eclairez et ouvrez!...

AUSSITOT, AVEC UN LEGER DECLIC, LE PAN DE ROCHER QUI ETAIT PROTEGE PAR LES RAYONS INVISIBLES, S'ELEVE, DECOUVRANT AINSI UN PASSAGE ECLAIRE...
Par ici!...

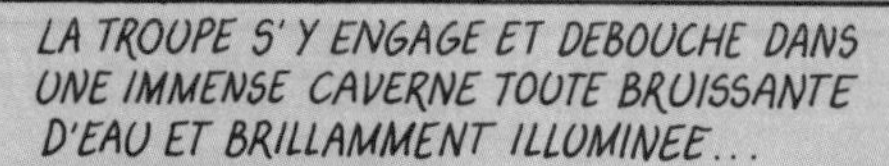
LA TROUPE S'Y ENGAGE ET DEBOUCHE DANS UNE IMMENSE CAVERNE TOUTE BRUISSANTE D'EAU ET BRILLAMMENT ILLUMINEE...

By Jove! Bell, quel prodigieux spectacle! Regardez donc ici!...
Oui, oui, mais ne vous approchez pas trop!...

Hé là! Prenez garde!... Le sol est glissant et...

AU MEME INSTANT, LE PIED DE HARPER GLISSE SUR LA ROCHE VISQUEUSE...
Jack!!!

MAIS BELL, AU RISQUE D'ETRE LUI-MEME PRECIPITE DANS LE VIDE, PARVIENT A AGRIPPER LE MALHEUREUX A LA DERNIERE SECONDE...

Ah ! Vieux camarade, sans vous, c'était le plongeon !...
Bah ! Vous en auriez été quitte pour un bain forcé, mais cependant...
Un bain forcé ?... Eh bien ! Je ne vous conseille pas d'essayer... Voyez plutôt...

AYANT RAMASSE UN MORCEAU DE ROCHE, LE LIEUTENANT LE LANCE DANS L'EAU STAGNANTE.
PLOUF

UN SPECTACLE DANTESQUE S'OFFRE SOUDAIN A LEUR VUE...
Alors, gentlemen, qu'en dites-vous ?...
Quelle horreur !!!...
Bon sang !...

LE BLOC DE ROCHE EST VENU TOMBER EN PLEIN MILIEU D'UNE MASSE GROUILLANTE DE HIDEUSES ARAIGNEES DE MER, QUI SE TENAIENT TAPIES DANS LE FOND VASEUX ENJAMBE PAR L'ARCHE DE PIERRE. LES HORRIBLES BETES S'EGAILLENT AVEC DE SINISTRES CRISSEMENTS...

PETRIFIES, LES HOMMES NE PEUVENT S'ARRACHER A CET HALLUCINANT SPECTACLE.
Tomber là-dedans !!!...
Inutile de se monter l'imagination, cela ne vaut rien pour les nerfs... Allons, ne nous attardons pas plus longtemps, il fait trop humide ici... En route !...

APRES CE DRAMATIQUE INCIDENT, LES HOMMES AYANT RAPIDEMENT FRANCHI LE GOUFFRE AUX ARAIGNEES, S'ENGAGENT, A LA SUITE DE LEUR GUIDE, DANS UN LABYRINTHE DE GALERIES ET DE SALLES AUX CONTOURS FANTASTIQUES...

...TANDIS QUE SUR L'ECRAN LUMINEUX, LE GUETTEUR SUIT LEUR MARCHE PAS A PAS, GRACE AUX BARRAGES DE RAYONS INVISIBLES DISSEMINES SUR LEUR ROUTE.
BRIDGE
GANG-WAY
RAILWAY
2nd MS. DOOR
LA TROUPE ARRIVE, ENFIN, AU PIED D'UN ESCALIER DONT L'EXTREMITE EST BARREE PAR UNE ENORME PORTE D'ACIER.

MAIS CELLE-CI, COMME LA PREMIERE, SE SOULEVE A LEUR APPROCHE. UN TRAIN ELECTRIQUE EST LA, QUI ATTEND...
Hello !

TANDIS QUE LES HOMMES PRENNENT PLACE DANS LES VOITURES DU TRAIN ELECTRIQUE, LE LIEUTENANT BRADY ECHANGE QUELQUES MOTS AVEC LE MECANICIEN.
Heureux de vous revoir, Sir. On commençait à craindre le pire, là-bas...
Je m'en doute, mais ça n'a pas été tout seul ! Les bougres commencent à s'organiser...

LE TRAIN S'EBRANLE...
Go on, Phill !...
...ET FONCE A TOUTE VITESSE VERS LE CŒUR DE LA BASE SECRETE...

AUSSITOT, DANS LES WAGONS, LES CONVERSATIONS S'ENGAGENT...
Ma parole, lieutenant, je crois rêver !...
A cent brasses sous l'eau, messieurs...
Où sommes-nous en ce moment ?

Quoi ?...
Que dites-vous ?...
Parfaitement, nous roulons pour l'instant à 40 milles à l'heure sous le détroit d'Ormuz...
Incroyable !... Et nous nous dirigeons vers ?...
Vers le Raz Musandam, tout simplement.
Prodigieux !... Et ce tunnel a été creusé ?...

Oh non ! Il existait une sorte de galerie formée à la suite de Dieu sait quelle convulsion géologique, mais il a fallu l'aménager, drainer, consolider ou agrandir certains tronçons. Cela ne s'est pas fait sans peine, vous pouvez me croire !...

...Oui, gentlemen !... Des falaises du Makran aux rocs de la corne d'Arabie, 38 milles sous la mer !
Diable !...
Dites donc, c'est solide au moins ? C'est que je ne sais pas nager, moi !

MAIS TANDIS QUE LES HOMMES BAVARDENT, LE TRAIN A MARCHE ET LE VOICI EN VUE DE L'ENTREE DE LA BASE...

...DONT L'ENORME PORTE D'ACIER VIENT DE SE SOULEVER AFIN DE LUI LIVRER PASSAGE. RALENTISSANT L'ALLURE, LE CONVOI PENETRE DANS LA PLACE...

...ET TANDIS QUE LE TRAIN POURSUIT SA COURSE VERS LE HALL CENTRAL, LE GOETTEUR SE MET EN COMMUNICATION AVEC LE POSTE DE COMMANDEMENT DE LA BASE...
Allô ! Allô !... Ici poste de guet... Makran sector...

...Le commando du lieutenant Brady vient de rentrer, mission remplie !... Les hommes sont dirigés vers le hall central...

E. JACOBS

RALENTISSANT SON ALLURE, LE TRAIN PASSE SOUS L'ENORME PORTE D'ACIER QUI VIENT DE SE SOULEVER POUR LUI LIVRER PASSAGE, ET PENETRE AU CŒUR MEME DE LA BASE SECRETE ! . . .

AU P.C. DE LA BASE OÙ SONT RÉUNIS SIR WILLIAM GRAY, LE CAPITAINE BLAKE ET LE PROFESSEUR MORTIMER...
Eh bien, mon cher, voilà une bonne nouvelle !...
Excellente, sir. Je vais aller jeter un coup d'oeil sur le nouveau contingent... Vous venez, Mortimer ?
Non, j'ai vraiment trop à faire. Je me fie à vous, Blake...

Vraiment, Bell, je n'y puis croire, c'est tellement extraordinaire !
Et cependant les aventures ne font que commencer, Harper !..
Mission remplie, sir !
Content de vous revoir, Brady, nous commencions à nous inquiéter de...

BLAKE VIENT D'ENTRER DANS LE HALL ET PARLE AVEC BRADY, MAIS UNE EXCLAMATION DE SURPRISE INTERROMPT LE CAPITAINE...
Blake !!!
Harper !!! Pas possible !... Vous, ici ?

By Jove, Harper, quelle joie de vous revoir !
Ah ! Mon vieux, j'ai bien failli ne jamais arriver jusqu'ici !!!

Blake, permettez-moi de vous présenter mon ami Donald Bell de l'"Atomic Energy Commission", à qui je dois d'être encore en vie en ce moment.
Heureux de vous connaître, capitaine...
Comment allez-vous, Mr. Bell ?... Votre connaissance des questions atomiques sera, je pense, particulièrement appréciée par le professeur Mortimer... Mais Harper me dit qu'il vous doit la vie ?...
Oh ! Harper exagère beaucoup...

Pas du tout. Figurez-vous, mon cher, que non content d'avoir assuré la réussite de l'opération de votre commando, Bell m'a encore sauvé d'une mort affreuse, alors que, glissant sur le sol visqueux, j'allais tomber dans le gouffre aux araignées !..

Eh bien, voilà une fameuse recrue ! Mais vous êtes blessé... Il faut voir un médecin...
Oh ! Cela n'en vaut pas la peine, je vous assure ! Un pansement propre suffira.

Brady, ces hommes sont trop fatigués pour que je leur parle maintenant. Faites leur donner à manger et veillez à ce qu'on leur distribue du linge propre. Ensuite, faites-les conduire à la section T. Des chambres sont prêtes... Mettez Bell avec Harper...
Bien, sir...
Bonne nuit, Harper !...
A demain, Blake !...

UN PEU PLUS TARD, RESTAURÉS ET POURVUS DE LINGE NEUF, LES HOMMES SONT CONDUITS DANS LA SECTION DES TECHNICIENS.
Votre chambre, gentlemen...

AYANT PRIS POSSESSION DE LA CHAMBRE, LES DEUX HOMMES S'EMPRESSENT DE PROCEDER A UN NETTOYAGE EN REGLE DE LEUR PERSONNE.
Sapristi ! Harper, il était temps !
Je vous crois ! Tout ce poil me fait horreur !

Ouf ! Voilà qui est fait !... Mais dites-moi, mon cher pirate, auriez-vous l'intention de conserver cet ornement pileux ?...
Ma foi, cela vous étonnera peut-être, mais j'hésite !... Une barbe, cela vous pose un homme, et puis... Je me sens si fatigué !!!
Des draps frais, une cigarette, quel délice !... Hé !... Bell... Il dort déjà... Je vais l'imiter...

LE LENDEMAIN...
Dring ! Dring !... Debout ! Dring ! Dring ! Rassemblement dans le hall dans une demi-heure... Dring ! Dring !...

Hé ! Là-dessous, avez-vous entendu ? Paresseux !...
Oui... Mais je ne sais ce qui se passe... Je ne me sens pas bien. Le contrecoup sans doute ?...

C'est tout naturel, mon vieux, vous vous êtes surmené et vos nerfs sont à bout... Je vais de ce pas chercher un médecin.
Non ! Non ! Pas de ça surtout ! On me prendrait pour une femmelette ! Un peu de repos, c'est tout ce qu'il me faut...

UN QUART D'HEURE PLUS TARD...
Excusez-moi auprès de Blake... Mais pas de docteur, hein ?... Je...
Ne vous tracassez pas, mon vieux, je vais arranger ça !...

UNE HEURE PLUS TARD...
Me voici !!! Voyez et admirez ce mirifique équipement en pur térylène et plomb destiné à protéger votre serviteur contre les radiations nocives...

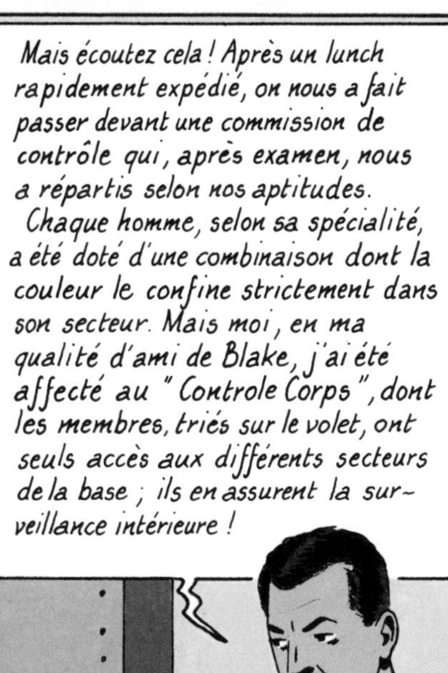
Mais écoutez cela ! Après un lunch rapidement expédié, on nous a fait passer devant une commission de contrôle qui, après examen, nous a répartis selon nos aptitudes. Chaque homme, selon sa spécialité, a été doté d'une combinaison dont la couleur le confine strictement dans son secteur. Mais moi, en ma qualité d'ami de Blake, j'ai été affecté au " Controle Corps ", dont les membres, triés sur le volet, ont seuls accès aux différents secteurs de la base ; ils en assurent la surveillance intérieure !

Hé ! Mais c'est un fameux job qu'on vous a donné là, Harper... Et moi, qu'est-ce que je deviens dans tout cela ?
En votre qualité de spécialiste en questions atomiques, vous serez adjoint au professeur Mortimer... A ce propos, on va vous apporter un reconstituant qui vous remettra sur pied en un clin d'œil !... Et maintenant, il faut que je m'habille en vitesse !...

DANS LE BUREAU DU CAPITAINE BLAKE...
Le rassemblement des nouvelles équipes dans un quart d'heure !...
Bien, sir !...

UN QUART D'HEURE PLUS TARD DANS LE POSTE DE CONTROLE...
Allô! Allô! Rassemblement...
...immédiat pour les nouvelles équipes, aux endroits désignés... Allô! Allô!...
Diable! Déjà!...On ne chôme pas ici!...

A CE MOMENT, ON FRAPPE A LA PORTE...
Qu'est-ce que c'est?...
TOC
TOC
TOC

Le cordial de M. Bell... A prendre en deux fois...
Ah! Très bien, mais, chut! Il s'est assoupi... Ne le réveillons pas...
Compris!...Mais attention, cela n'a pas très bon goût...
Soyez sans crainte, c'est un garçon raisonnable!...

...Restez tranquille, mon vieux, et reposez-vous... A tout à l'heure! N'oubliez pas votre cordial...

Excusez-moi, je suis nouveau et je crois m'être égaré...Où se trouve le "Central Control Room"?...
Rien de plus simple... Prenez les couloirs A, puis A1... Descendez, tournez à gauche... puis à droite... Poussez jusqu'à l'arrêt du railway... Là, on vous indiquera...
Je suis Harper, le nouveau S.C. C'est ici?...
Oui, mais pressez-vous, on fait l'appel...

LE CAPITAINE MANDERTON, CHEF DU C.C., FAIT LA REPARTITION DES PATROUILLES.
...itinéraire 4!... Milward et Smith...
Présent!...

...itinéraire 6!... Mallow et Harper!...
Présent!...
Présent!...
Harper, vous ferez équipe avec Mallow qui vous mettra au courant du service... Compris, Mallow?...
Très bien, sir.
Comptez sur moi, sir...

Enchanté de vous connaître, Mallow!...
Moi aussi, Harper!... Allons, en route!... Et suivez le guide!...
Dites, verrons-nous les fameux ateliers de construction?...
Ah! Ah! Je vous vois venir!...Non, pas aujourd'hui, mais je vous promets néanmoins quelques surprises!...

TRAVERSANT RAPIDEMENT LE HALL CENTRAL, MALLOW ET SON COMPAGNON SE DIRIGENT VERS L'ASCENSEUR QUI DESSERT LEUR SECTEUR.
Que faisons-nous?
Je vais vous expliquer ça . . .

Notre itinéraire est jalonné de contrôles à rayons infra-rouges que nous devons déclencher sur notre passage. Mais outre ce rôle de surveillance, notre tâche essentielle consiste à détecter à l'aide de cet oscillographe ultra-sensible toute présence radio-active suspecte et d'en repérer la source aussi promptement que possible. Nous restons, d'autre part, en liaison constante avec la chambre de contrôle . . .

. . . par l'intermédiaire de notre petit L.F. talkie; lorsqu'on veut communiquer avec le P.C. ou avec les autres patrouilles, il suffit de brancher le microphone et d'approcher l'appareil d'un conducteur métallique quelconque passant à proximité du correspondant que l'on désire atteindre. En outre, un combiné microphonique permet de parler aux personnes non munies de "talkies" . . . Mais nous voici arrivés . . .

MALLOW S'AVANCE DANS L'ENCADREMENT DE LA PORTE ET TRACE QUELQUES SIGNES DEVANT L'ŒIL ELECTRIQUE DU CONTROLE DE LA CHAMBRE DES SCAPHANDRES.
Hello! Voici Harper, notre nouveau camarade . . .
Hello!
Hello!

Et voici la chambre d'immersion qui permet de communiquer avec la mer.
Oh! Oh! Très intéressant ça . . .

La pression de l'air maintenu dans la coupole par un système de pompes empêche l'eau de dépasser un niveau déterminé, tandis qu'un sas de décompression donne accès à un petit quai intérieur . . . Mais, venez . . .
Je vous suis . . .

Nous y voilà ! . . .
ARSENAL
L'arsenal ! . . .

FRANCHISSANT LA LOURDE PORTE D'ACIER, LES DEUX HOMMES PENETRENT DANS UNE SUITE DE SALLES OÙ DES ARMES ET DES MUNITIONS DE TOUS GENRES ET DE TOUS CALIBRES SONT RANGÉES A PERTE DE VUE . . .

Dites donc, vous semblez bien approvisionnés! . . .

Oui, il y a là de quoi faire un joli feu d'artifice . . .

Et voici, derrière cette paroi de béton et d'acier, la presse hydraulique qui comprime les matières explosives brutes, entre autres : notre fameux atomilite B.
Un nouvel explosif ? . . .

MAIS UN APPEL INTERROMPT LES DEUX HOMMES . . .
Allo! . . . Mallow! . . . Ici capitaine Manderton . . . Il y a quelque chose qui cloche du côté du cyclotron . . . Voyez ça . . . Et faites-moi votre rapport le plus rapidement possible . . .

Une seule de ces cartouches, munie de sa pile à contact différé est capable de réduire en miettes un immeuble de dix étages ! . . .
Diable ! Et . . .
P.B

MALLOW QUI A AUSSITOT BRANCHE SON MICROPHONE, S'APPROCHE D'UN MONTE-CHARGE, AFIN DE MIEUX ENTENDRE.
Très bien, sir . . . Nous y allons immédiatement . . .

AU REÇU DE CETTE COMMUNICATION, MALLOW INTERROMPANT SA RONDE, S'EMPRESSE DE QUITTER L'ARSENAL, SUIVI DE HARPER...
Venez, mon vieux, on a besoin de nous !...
Voilà !... Voilà !...
AB
A.B.
AB

...AYANT PRIS PLACE DANS UNE PETITE AUTOMOTRICE, LES DEUX HOMMES ARRIVENT, QUELQUES INSTANTS PLUS TARD, A L'ENTREE DU DEPARTEMENT ATOMIQUE.
Voici la zone dangereuse... Hello! Que se passe-t-il?
Hello !
STOP

Deux hommes sont venus de la centrale, cet après-midi, avec mission de vérifier l'installation électrique des laboratoires. Une heure après leur arrivée, des chimistes quittant le laboratoire passèrent devant le détecteur de sortie, sans que celui-ci ne révélât rien de suspect. Peu après, le professeur Mortimer et son assistant, qui avaient travaillé dans la chambre du cyclotron, passèrent à leur tour sans incident devant l'oscillographe. Cependant, vingt-cinq minutes plus tard, les deux électriciens, interrompant leur travail, arrivèrent ici, montrant des signes manifestes d'intoxication radioactive. Le test du détecteur confirma immédiatement leurs craintes. Ignorant la source des radiations, nous avons aussitôt fait évacuer le personnel.

Bon, nous allons voir ça...

ACCOMPAGNE DE SON SECOND, MALLOW PORTANT DEVANT LUI SON DETECTEUR "GEIGER" ENTRE RESOLUMENT DANS LES LOCAUX DE L'USINE ATOMIQUE...
Rien de suspect ici... Voici l'écran de plomb derrière lequel s'effectuent les travaux...

AYANT INSPECTE TOUR A TOUR PLUSIEURS LABORATOIRES, SANS RIEN DECOUVRIR D'ANORMAL, LES DEUX C.C....
...Au fait, notre ami Bell est un spécialiste des questions atomiques, n'est-ce pas ?
Oui, et entre nous, je ne voudrais pas être à sa place.

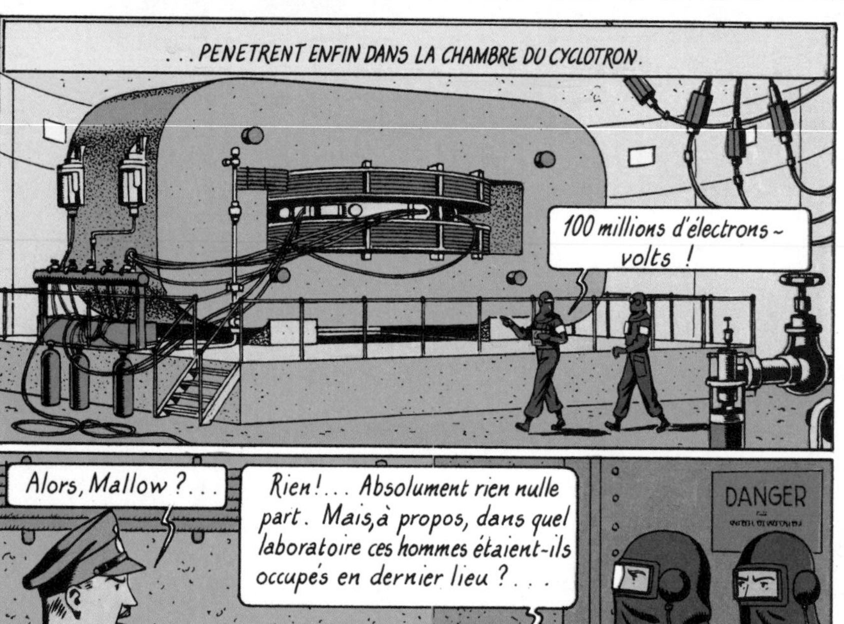
...PENETRENT ENFIN DANS LA CHAMBRE DU CYCLOTRON.
100 millions d'électrons-volts !
Alors, Mallow ?...
Rien !... Absolument rien nulle part. Mais, à propos, dans quel laboratoire ces hommes étaient-ils occupés en dernier lieu ?...
DANGER
Dans celui du docteur Brown, je crois... Mais attendez donc... Je me le rappelle à l'instant... Ils m'ont dit s'être rendus au vestiaire et y avoir découvert un court-circuit qu'ils avaient entrepris de réparer. C'est pendant qu'ils accomplissaient ce travail que les premiers signes d'intoxication se firent sentir... Mais bien entendu, ceci ne peut avoir aucun rapport avec l'incident qui nous occupe...
Au vestiaire, dites-vous ?... Voyons ça...

A quel endroit se trouvaient-ils exactement ?...
Là-bas, voyez: l'échelle est encore là.

Ils étaient ici... Donc logiquement, il faudrait que...
NO ADMITTANCE WITHOUT CHANGING SHOES

MAIS AU MEME INSTANT, LE SIGNAL ACOUSTIQUE DU DETECTEUR VIENT INTERROMPRE LES REFLEXIONS DE MALLOW...
By Jove !...
NO ADMITTANCE WITHOUT CHANGING SHOES
Tiiii
Tiiii

CELUI-CI, GRACE A L'ECRAN FLUORESCENT DE L'OSCILLOGRAPHE A TOT FAIT DE LOCALISER LA ZONE DE RADIATIONS...
Il doit y avoir quelque chose là... Juste en face de l'échelle.
Mais quoi donc ?

MALLOW S'APPROCHE D'UNE BLOUSE DE LABORATOIRE ACCROCHEE A UNE PATERE, L'EXAMINE ATTENTIVEMENT, PUIS PLONGE SOUDAIN LA MAIN DANS L'UNE DES POCHES ...
Mais que diable cherchez-vous ?...
Ah !

Ceci, mon cher !... Une pince mise en état de radio-activité ! Par suite de ses contacts avec les substances radioactives manipulées, cette pince émet à son tour des rayons gamma extrêmement dangereux... D'autant plus dangereux que personne ne songerait à se défier du vestiaire !...

Ah ça !... La blouse de Stone, l'assistant du professeur... Il aura glissé la pince en poche, machinalement, et l'y aura oubliée ...
Petites causes, grands effets ! Mais garez-vous, c'est plus prudent !...

QUELQUES INSTANTS PLUS TARD, LES DEUX HOMMES, POURSUIVANT LEUR RONDE INTERROMPUE, QUITTENT LE SECTEUR ATOMIQUE, ET MALLOW FAIT AUSSITOT SON RAPPORT AU CAPITAINE MANDERTON.
...Non, sir, aucun danger... Les objets ont été mis en sûreté dans l'armoire de plomb du laboratoire... A vos ordres, capitaine.

Mais Mallow, s'il y a un cyclotron... C'est qu'il y a donc de l'uranium ici ?

Puissamment raisonné, mon vieux ! Et vous pouvez même dire qu'il y en a une mine entière ! Parfaitement, à deux cents pieds au dessous de nous se trouve un gisement d'uranium exceptionnellement riche. Le Gouvernement, prévoyant une interception possible de nos lignes de communications, avait décidé d'exploiter et de traiter le minerai sur place. En conséquence, il fit édifier sur l'emplacement de la mine une base militaire capable, le cas échéant, de se suffire à elle-même pendant de longs mois. Malheureusement, l'attaque des Jaunes nous a surpris alors que tout n'était pas encore terminé... Mais, stop, nous descendons ici.

ABANDONNANT L'AUTOMOTRICE, LES DEUX C.C. S'ENGAGENT DANS UN LONG CORRIDOR ...
Dites-moi, à quoi servent ces orifices que l'on rencontre un peu partout ?...

De cheminées d'aération... Descendant de la chambre de ventilation, elles relient plusieurs étages et sont elles-mêmes reliées par d'autres cheminées transversales. Des échelles de fer permettent d'en faire l'inspection et chaque patrouille possède un passe-partout ouvrant les grilles d'accès... Voyez...

Je vais vous éclairer...
Hum ! Il vaut mieux ne pas avoir le vertige !...

Vraiment, Mallow, on n'a guère le temps de s'ennuyer avec vous ! Mais qu'est-ce que ceci ?
Le centre nerveux de la base !... Entrez !...

DANS UNE VASTE SALLE VOUTEE, BOURDONNENT SIX ENORMES TURBO-ALTERNATEURS.
Voici la centrale alimentant tous les secteurs de la base.

Formidable ! Mais cela ne m'explique pas encore d'où provient l'énergie...
Patience... Vous allez comprendre...

MALLOW CONDUIT SON COMPAGNON DANS UN ETROIT COULOIR COUPE DE MASSIVES PORTES ETANCHES . . .
Nous touchons ici au cœur même de la base . . .

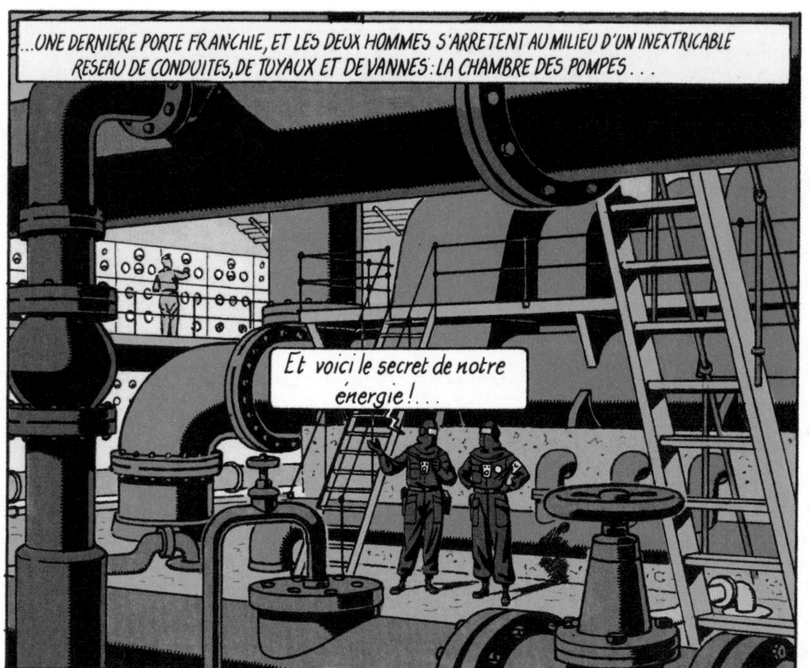
. . .UNE DERNIERE PORTE FRANCHIE, ET LES DEUX HOMMES S'ARRETENT AU MILIEU D'UN INEXTRICABLE RESEAU DE CONDUITES, DE TUYAUX ET DE VANNES : LA CHAMBRE DES POMPES . . .
Et voici le secret de notre énergie ! . . .

Par ces énormes tubes nous arrive une source d'énergie illimitée, inépuisable... L'énergie des mers . . .
Par exemple ! . . .

Ce procédé qui met en jeu la différence de température existant entre les eaux de surface et les eaux profondes des mers tropicales est fort simple. Voici : l'eau tiède, qui nous arrive de la surface, vient s'évaporer dans le vide d'une chambre d'ébullition et la vapeur ainsi produite se condense au contact de l'eau froide, extraite des profondeurs, dans une chambre de condensation. Le courant de vapeur établi entre la chambre d'ébullition et la chambre de condensation entraîne une puissante turbine, transformant ainsi l'énergie thermique en énergie mécanique, et, enfin, en énergie électrique par simple accouplement à la turbine d'un alternateur. Et voilà ! . . .
Prodigieux ! . . .

Ceci est véritablement le centre vital de la base et vous comprenez maintenant les extraordinaires mesures de précaution imposées au personnel... Un banal accident ici ou à la centrale, et c'est la paralysie . . .
Je comprends, en effet... Pas de courant, pas d' "Espadon" ! . . .
D'autant plus que le temps presse ! Les Jaunes se doutent de quelque chose et c'est entre eux et nous une véritable course de vitesse . . .
. . . A propos . . . Où en est ce fameux "Espadon" ? . . .

Ce ?... Dites plutôt ces Esp... Mais vous perdez quelque chose . . .
Je... Oh ! ? . . .

UNE CARTOUCHE D'ATOMILITE MUNIE DE SA PILE A CONTACT DIFFERE VIENT DE TOMBER DU VETEMENT D'HARPER.

Quoi ?!... Qu'est-ce que ?... De l'atomilite !... Mais alors ?... Vous !... Allô ! Al . . .

Ne faites pas l'idiot, Mallow ! . . .

Allô ! Allô ! Central room écoute... Qui appelle ?... Une erreur sans doute . . . Il m'avait pourtant semblé . . .

PENDANT CE TEMPS, SIR WILLIAM ET LE CAPITAINE BLAKE SE RENDENT A L'ATELIER DE CONSTRUCTION, AFIN DE CONFERER AVEC LE PROFESSEUR MORTIMER.
Bonjour, messieurs ! Soyez les bienvenus !...
Hello, professeur !...

Voici ce qui nous amène... Le capitaine et moi voudrions savoir dans combien de temps vous estimez pouvoir sortir les "Espadons" et passer aux essais ?
Heu ! Vous me prenez de court... Il n'est pas question, évidemment, de mettre votre patience à l'épreuve, comme pour ces gentlemen de Karachi... Mais au fait, pourquoi cette question ?
Eh bien, il résulte de nombreux rapports que le "Raz Musandam" est, en ce moment, l'objet d'une surveillance étrangement active. Des individus de tout acabit rôdent dans les environs : faux pêcheurs, faux marchands, réfugiés, etc.
Absolument comme si la base avait été repérée ou, tout au moins, localisée. J'ai envoyé Nasir du côté du "Makran" et j'attends son retour d'un instant à l'autre. Si son rapport confirme nos craintes, il faudra aviser au plus tôt et prendre des mesures...

Ainsi donc... ils "brûlent" ?... Eh bien, messieurs, je pense qu'en vingt jours, nous pourrions faire...

A CET INSTANT, SECOUANT LE SOL, UNE LOINTAINE MAIS VIOLENTE EXPLOSION, FAIT SURSAUTER LES TROIS HOMMES...
BROUM
?
?
?

ILS SONT A PEINE REVENUS DE LEUR SURPRISE QUE DEJA LEUR PARVIENT UN ALARMANT MESSAGE...
Allô ! Allô ! Ici Central room... Grave explosion dans la chambre des pompes ! Pompes 5 et 6 hors service !... Le couloir 3 est noyé !... Plusieurs blessés !...
Good Lord !!!
Vite ! Courons-y !...

QUELQUES INSTANTS PLUS TARD, LES TROIS HOMMES ARRIVENT SUR LES LIEUX DE L'ACCIDENT.

Eh bien, messieurs, tout était normal, les C.C. venaient de faire leur ronde... Or, dix minutes plus tard, une violente explosion pulvérisait les pompes 5 et 6, faisant gicler l'eau avec une force inouïe et emplissant la salle de torrents de vapeur brûlante. Je pus néanmoins atteindre le tableau de commande et bloquer les vannes d'arrivée. Cependant sans la fermeture des cloisons étanches automatiques, la chambre entière aurait été noyée !...
A propos, a-t-on revu la patrouille du C.C. depuis lors ?...
Non...
Voilà qui est curieux. Il faut alerter le C.R.

Allô ! Central room ?... C'est vous, Manderton ?... Ici, Mortimer...

Non, professeur ! Voilà plus d'un quart d'heure que nous essayons d'entrer en communication avec eux. Je commence à m'inquiéter... Pardon ?... Qui ?... Eh bien, Mallow et une recrue du nom de Harper...
Harper ?... Mon dieu ! Par où sont-ils sortis ?...
Je n'y ai pas fait grande attention... Cependant, je crois qu'ils ont pris la galerie 3...

Comment ?... La galerie inondée ? Et peut-on faire quelque chose ?
Rien pour l'instant, sir. Les pompes sont en action, mais il faut procéder avec prudence...
Pauvre Harper !... C'est ma faute...
Mais rien n'est encore perdu ! Ils sont peut-être bloqués dans une section non inondée...
Ce sont les hasards de la guerre, Blake.

APRES AVOIR DONNE LES ORDRES NECESSAIRES, SIR WILLIAM PREND CONGE DE BLAKE ET MORTIMER.
S'il y a du nouveau au sujet d'Harper, je vous ferai signe immédiatement. De votre côté, avertissez-moi aussitôt que Nasir sera rentré.
Très bien, sir...

Allons, mon vieux, secouez-vous ! Et voyons comment nous allons faire face à ce nouveau contretemps...
Oui, vous avez raison, Mortimer, et pourtant je ne puis détacher mes pensées de ce pauvre garçon... Cet accident est trop stupide...
Ah ! Voici la section technique... Si nous jetions un coup d'œil à la chambre d'Harper... Peut-être a-t-il laissé quelques papiers personnels ?... C'est peu probable, mais...

BLAKE S'APPROCHE DE LA PORTE ET FRAPPE...
C'est Bell qui va être étonné !...

N'OBTENANT PAS DE REPONSE, IL OUVRE LA PORTE ET ENTRE...
Excusez mon intrusion, Bell, mais...
Notre homme a le sommeil profond, il me semble...

ETONNE, IL S'APPROCHE DU LIT, ET SOUDAIN, INQUIET...
Hé ! Bell ! Bell !... Mais qu'est-ce que... Il...

IL SOULEVE BRUSQUEMENT LA COUVERTURE : HARPER EST COUCHE INERTE, LA TETE ENTOUREE DU BANDEAU DE BELL...
Grands dieux !... Mais, c'est Harper !!!...

Un docteur... Vite !... Et sir William !...
All right !
L'INSTANT D'APRES, A L'INFIRMERIE...
Allô ! Allô ! Le major est demandé de toute urgence à la chambre technique... Chambre 8 !...

EN ATTENDANT L'ARRIVEE DU MEDECIN, BLAKE ET MORTIMER SE LIVRENT A UN RAPIDE EXAMEN DES LIEUX...
Oui, cela doit s'être passé ainsi : Bell, espion à la solde des Jaunes, se glisse dans le convoi des prisonniers, s'introduit dans la base et, simulant une indisposition, évite la commission de contrôle. Cependant, il sait que cela ne peut durer longtemps. Aussi, lorsque Harper revient avec son uniforme de C.C., Bell réalisant aussitôt le parti qu'il pourrait en tirer, décide de se substituer à son camarade. Il frappe Harper par derrière, le place sur le lit, lui entoure la tête de son propre bandage et se rend au C.R. Ah ! Si nous pouvions connaître le visage que dissimulaient ce mystérieux bandage et cette barbe hirsute !...

...A propos de barbe, quelqu'un ici s'est rasé précipitamment... Voyez, le savon a séché sur le blaireau et le rasoir n'a pas été essuyé... En outre, le désordre...
MAIS LA PORTE S'OUVRE VIOLEMMENT...
Capitaine, on vient de trouver Mallow au fond d'une cheminée d'aération !...

On le remonte en ce moment... Mais son état est grave...
Good Lord! Encore un! Vite, courons, Mortimer!

Peut-on l'interroger, docteur?
Oui, mais faites vite, il a besoin de soins urgents...

Mallow!... Mon vieux, pouvez-vous me dire ce qui est arrivé?...
Ah!... Capitaine...

ETENDU SUR UNE CIVIERE, L'INFORTUNE MALLOW EST DIRIGE EN TOUTE HATE VERS L'INFIRMERIE.
Ah! Les voilà!

AVEC EFFORT, LE MALHEUREUX PARVIENT A PRONONCER QUELQUES PAROLES.
Il... Il a... volé... de l'atomilite à l'arsenal... Dans la galerie 3... Une cartouche est tombée de sa poche... Je... J'ai essayé d'appeler... Mais il... Il m'a... Ah!... Prenez garde... Pre...

QUELQUES INSTANTS PLUS TARD, REUNIS DANS LE BUREAU DU GOUVERNEUR, LES TROIS HOMMES DELIBERENT...

Ainsi donc, ce maudit espion est là, quelque part, guettant l'occasion favorable pour faire sauter l'une ou l'autre de nos installations!... Voyons, Blake, que proposez-vous?...
Je ne vois qu'une solution... N'étant pas en nombre, nous ne pouvons disperser nos forces. Je propose donc de...

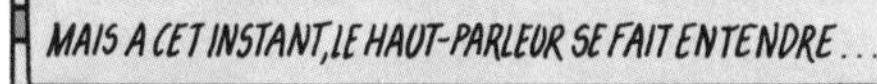
MAIS A CET INSTANT, LE HAUT-PARLEUR SE FAIT ENTENDRE...

Allô!... Allô! Ici poste de guet. Le S II naviguant au périscope signale son arrivée et demande l'ouverture des portes. Il... Alerte!... Alerte!... Escadrille jaune en vue!... Approche rapidement...

Alerte!... Escadrille jaune en vue... Avions torpilleurs... Ils approchent rapidement... Ils ont dû repérer le sillage du périscope... Oui, c'est bien ça! Attention!!!
The Devil! Il ne manquait plus que ça!!!

EN EFFET, LE S.II SURPRIS PAR UNE ATTAQUE FOUDROYANTE, VOIT LES TORPILLES PLEUVOIR SOUDAIN AUTOUR DE LUI.

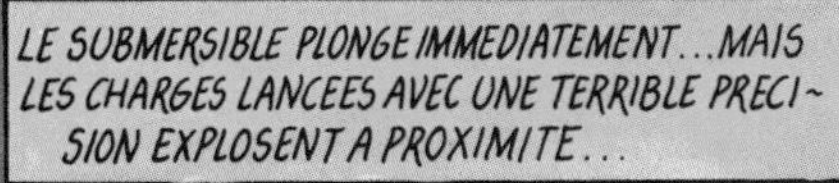
LE SUBMERSIBLE PLONGE IMMEDIATEMENT... MAIS LES CHARGES LANCEES AVEC UNE TERRIBLE PRECISION EXPLOSENT A PROXIMITE...

...ET SOUDAIN...
BANG

VOICI QUE RESONNE TOUT A COUP LE MESSAGE TANT REDOUTE...

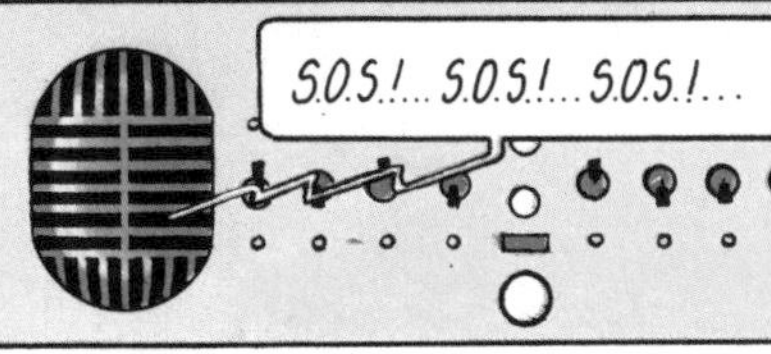
S.O.S.!... S.O.S.!... S.O.S.!...

S.O.S.!... Touchés à l'avant... Chambre des torpilles noyée... Reposons par 60 brasses de fond... Gîte 32°. Réserve d'oxygène: six heures... Attendons instructions...

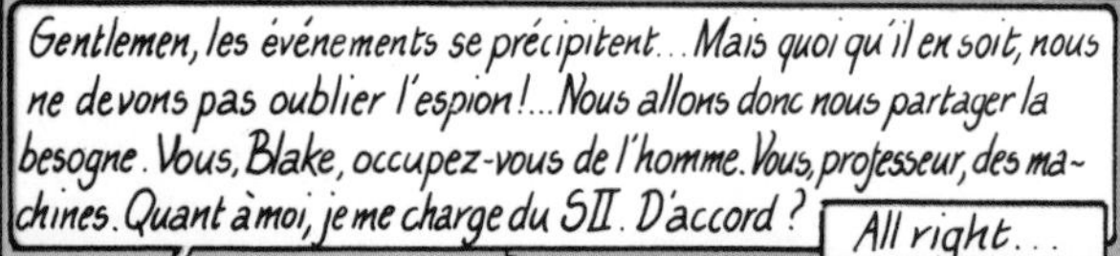

Gentlemen, les événements se précipitent... Mais quoi qu'il en soit, nous ne devons pas oublier l'espion !... Nous allons donc nous partager la besogne. Vous, Blake, occupez-vous de l'homme. Vous, professeur, des machines. Quant à moi, je me charge du SII. D'accord ?
Très bien, sir...
All right...

Allô ! Allô ! Ici capitaine Blake. Alerte générale au Control Corps !... A toutes les patrouilles... Ordre de tirer à vue...

Allô !... Centrale ?... C'est vous, Bill ? Ici, Mortimer. Attention ! On s'attend à un acte de sabotage... Ne laissez pénétrer personne dans la salle, vous entendez ? Personne... Comment ? Vous savez déjà ?

ET QUELQUES INSTANTS PLUS TARD...

Allô ! Allô ! Ici gouverneur William Gray ! Alerte au poste des scaphandres !... Rassemblement immédiat de l'équipe ! Dans la chambre d'immersion... Equipement de plongée...

Mais oui, professeur... Un C.C. vient de m'avertir de votre part, il y a un instant. Il a même tenu à s'assurer personnellement que tout était bien en... Pardon ?... Quoi !... Un espion !!!...

MAIS UNE EXPLOSION D'UNE RARE VIOLENCE INTERROMPT BRUSQUEMENT LA COMMUNICATION ET PLONGE LA BASE ENTIERE DANS L'OBSCURITE...

Allô ! Allô !... Bill !... Trop tard !...
Heavens ! S'il allait ? Allô ! Allô ! Le centre atomique !...

Good Lord ! Coupé !... Mais... Ce serait la catastrophe !...

Il faut les avertir coûte que coûte ! Vite, ma torche !...

LE PROFESSEUR S'ELANCE AU-DEHORS, MAIS UN CONTREMAITRE ACCOURT A SA RENCONTRE...
Professeur, quatre turbos sont en miettes !... Il ne reste que celui de la mine et celui de l'atelier de mécanique !
Faites mettre en marche les groupes électrogènes de secours, et branchez les turbos restants sur l'installation de défense.

LES ASCENSEURS ETANT BLOQUES, MORTIMER, LA TORCHE BRAQUEE DEVANT LUI, FONCE PAR LES GALERIES ENTENEBREES...
Fasse le ciel que j'arrive à temps !...

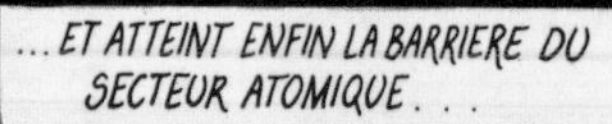
... ET ATTEINT ENFIN LA BARRIERE DU SECTEUR ATOMIQUE...

Halte !...
C'est moi, Mortimer !

Dites-moi, Lieutenant ! Quelqu'un a-t-il essayé d'entrer dans le secteur ? Un C.C. par exemple ?... Non ?

Personne, professeur. Le secteur a d'ailleurs été évacué après la deuxième explosion. Trenter seul est resté de garde auprès du coffre...
Ah ! Je respire... En tout cas, ouvrez l'oeil !

MAIS TANDIS QU'IL PENETRE DANS LES LOCAUX DESERTS, MORTIMER SE SENT SOUDAIN ENVAHI PAR UNE SOURDE APPREHENSION...

J'aurais dû emporter mon pistolet...

DOMINANT L'ETRANGE IMPRESSION DE CRAINTE QUI VIENT DE L'ENVAHIR, MORTIMER, PRESSANT LE PAS, ARRIVE BIENTOT AU LABORATOIRE RADIO-CHIMIQUE DONT LA PORTE ENTREBAILLEE LAISSE FILTRER UN RAI DE LUMIERE JAUNE. INSTINCTIVEMENT, LE PROFESSEUR ETEINT SA TORCHE...

...MAIS IL N'A PAS FAIT CINQ PAS QU'IL VIENT SOUDAIN BUTER DU PIED CONTRE QUELQUE CHOSE...
?

DIRIGEANT SA TORCHE SUR L'OBSTACLE, MORTIMER NE PEUT RETENIR UN CRI ETOUFFE: SON ASSISTANT TRENTER GIT INANIME, LA FACE CONTRE TERRE...
Trenter!!!

MAIS UN LEGER BRUIT, VENANT DU LABORATOIRE, LE FAIT TOUT A COUP SURSAUTER.
Mais... Il y a quelqu'un là!...

S'APPROCHANT AVEC PRECAUTION, IL APERÇOIT A LA LUEUR D'UNE LAMPE COLONIALE, UN C.C. S'EFFORÇANT D'OUVRIR LE COFFRE BLINDE OU SONT ENFERMES LES DANGEREUX PRODUITS RADIOACTIFS.

Hell! S'il ouvre le coffre, nous sommes perdus!... Je suis sans arme mais tant pis!...
ET RISQUANT LE TOUT POUR LE TOUT, MORTIMER D'UNE DETENTE PUISSANTE, BONDIT SUR L'HOMME ET LE SAISIT A LA GORGE...

...MAIS, CELUI-CI, RAPIDE COMME L'ECLAIR, SE BAISSE BRUSQUEMENT ET PARVIENT A SE DEGAGER, ABANDONNANT SA CAGOULE ENTRE LES MAINS DE SON ASSAILLANT. CELUI-CI, DECONCERTE...

...N'A PAS LE TEMPS DE REAGIR. DEJA SON ADVERSAIRE, LE VISAGE MENAÇANT VIENT DE LUI FAIRE FACE, SON PISTOLET AU POING...
Olrik!... Vous!... Ici!...

Oui, moi-même, mon cher professeur. Mon prestige était engagé et je n'ai pas voulu laisser à un autre le soin de régler cette affaire... Ah! Vous m'avez bien joué à Karachi, mais le règlement des comptes est proche et je suis bien décidé à vous rendre, d'ici peu, la monnaie de votre pièce, avec usure!...
26

...Et maintenant, les mains en l'air et pas de tours de singe, s.v.p., je ne suis pas le docteur Fo, moi!... Allons en arrière... Bon!

TOUT EN TENANT MORTIMER EN RESPECT, OLRIK SE MET EN DEVOIR D'OUVRIR LE COFFRE.
J'avais épuisé ma réserve d'atomilite et me trouvais fort embarrassé, lorsque je me suis rappelé, à propos, que vous gardiez ici quelque chose de bien plus... efficace!...

26
E.P. JACOBS

ET MAINTENANT, PROFESSEUR, LES MAINS EN L'AIR ET PAS DE TOURS DE SINGE, S'IL VOUS PLAIT... JE NE SUIS PAS LE DOCTEUR FO, MOI !!!...

AU MOMENT MEME OU MORTIMER SURPRENAIT OLRIK DANS LE LABORATOIRE, NASIR, AYANT TERMINE SA MISSION, PENETRAIT AU P.C. DU CAPITAINE BLAKE, D'OU CELUI-CI COORDONNE LES RECHERCHES.
Salam, sahib capitaine !...
Hello, Nasir ! Quelles sont les nouvelles ?...
Sahib, le Makran est plein de troupes et les Jaunes ont découvert la cachette des camions. De plus, tout porte à croire que le convoi de prisonniers n'était qu'une ruse destinée à introduire des espions dans la base ...
Eh bien ! Ils peuvent se vanter d'avoir réussi !...

...Nous venons, en effet, de constater qu'un traître était parvenu à se glisser parmi les C.C. Le misérable a déjà réussi à faire sauter une partie de la centrale et s'apprête sans doute à frapper un nouveau coup... Mais poursuis, que sais-tu encore ?...

... D'après les nouvelles venues de Karachi, le colonel Olrik aurait disparu depuis trois semaines ...
Que dis-tu ?... Olrik a disparu ???... Heavens ! Si c'était lui !... Dis-moi, comment est-il, cet individu ? Grand ?
Oui, grand, noir, un profil d'aigle... Mais sahib Mortimer l'aurait reconnu, capitaine ...
Sans doute, mais justement le professeur n'a pas assisté à l'inspection cette nuit-là... Ah ! Je veux en avoir le cœur net...

Allô !... C'est vous mon vieux ?... Ah !... Et où le professeur a-t-il dit qu'il allait ?... Au centre atomique ? Seul ?... Bien...

Si Olrik est ici, il faut s'attendre au pire ! Vite, Nasir, prends cette lampe et courons là-bas... L'absence de Mortimer m'inquiète, je ne sais pourquoi ...
Bien, capitaine...

MAIS ENTRE-TEMPS, OLRIK EST PARVENU A OUVRIR LE COFFRE BLINDE DU LABORATOIRE ET...
Ah ! Voilà qui fera l'affaire !...
26

...EN AYANT RETIRE UNE SERIE D'AMPOULES DE VERRE CONTENANT LES SUBSTANCES RADIOACTIVES, S'APPRETE DEJA A REMETTRE SA CAGOULE LORSQUE...
Hé ! Mais...

...si nous liquidions d'abord notre petite affaire ... Hein ?... Qu'en pensez-vous, mon cher professeur ?...
26

Eh bien, je pense que cette question est prématurée, colonel ! Haut les mains !!!
?
La comédie est finie, Olrik !... Lâchez cette arme ! Toi, Nasir, attache-lui les mains ...
Malédiction !!!

By Jove ! Blake, voilà ce qui s'appelle arriver à temps ! Une minute de plus et notre ami m'envoyait rejoindre mes ancêtres !...

TANDIS QUE NASIR S'AVANCE VERS LUI, UNE CORDE A LA MAIN, OLRIK, DEVANT CE BRUSQUE RETOURNEMENT DE LA SITUATION, SEMBLE UN MOMENT ANEANTI . . .
A chacun son tour, mon cher !

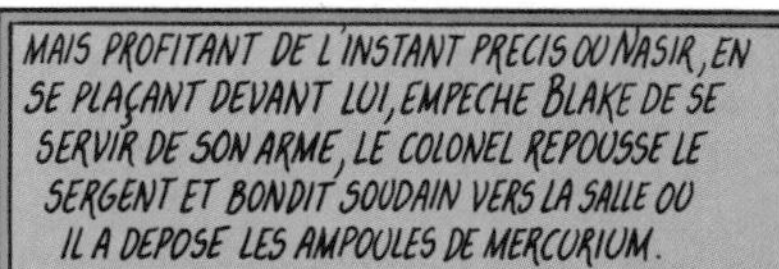
MAIS PROFITANT DE L'INSTANT PRECIS OU NASIR, EN SE PLAÇANT DEVANT LUI, EMPECHE BLAKE DE SE SERVIR DE SON ARME, LE COLONEL REPOUSSE LE SERGENT ET BONDIT SOUDAIN VERS LA SALLE OU IL A DEPOSE LES AMPOULES DE MERCURIUM.

Vous ne me tenez pas encore !!!

. . . S'ETANT EMPARE DE L'UNE D'ELLES, IL FAIT FACE RESOLUMENT A SES ADVERSAIRES.
Si l'un de vous fait un seul pas, j'écrase cette ampoule ! . . . Et vous savez ce que cela signifie !!! . . .

OLRIK, LE BRAS LEVE, PRET A BRISER LA FRAGILE ENVELOPPE DE VERRE, S'AVANCE MENAÇANT . . .
Jetez cette mitraillette ! . . . Allons, en arrière, tous ! . . . Dégagez la porte !!! . . .

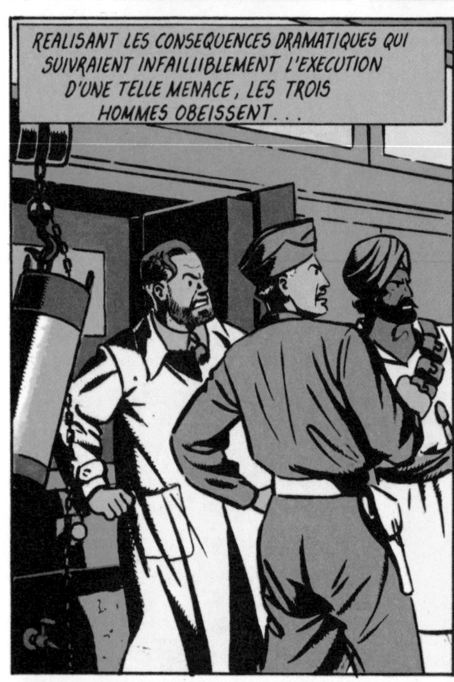
REALISANT LES CONSEQUENCES DRAMATIQUES QUI SUIVRAIENT INFAILLIBLEMENT L'EXECUTION D'UNE TELLE MENACE, LES TROIS HOMMES OBEISSENT . . .

BRANDISSANT TOUJOURS SON ENGIN DIABOLIQUE, OLRIK ATTEINT LA PORTE ET S'APPRETE A EN FRANCHIR LE SEUIL, LORSQUE . . .

. . . SE RAVISANT, D'UN GESTE RAGEUR, IL LANCE L'AMPOULE A TOUTE VOLEE DANS LA DIRECTION DU GROUPE.

LE PROJECTILE MORTEL PASSE A QUELQUES CENTIMETRES AU-DESSUS DE LA TETE DE MORTIMER, QUI N'A QUE LE TEMPS DE SE BAISSER, ET . . .

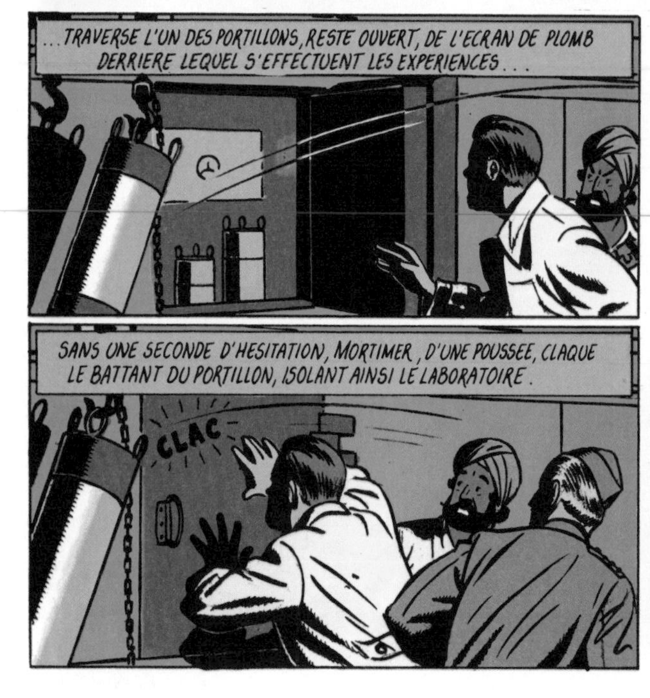
. . . TRAVERSE L'UN DES PORTILLONS, RESTE OUVERT, DE L'ECRAN DE PLOMB DERRIERE LEQUEL S'EFFECTUENT LES EXPERIENCES . . .
SANS UNE SECONDE D'HESITATION, MORTIMER, D'UNE POUSSEE, CLAQUE LE BATTANT DU PORTILLON, ISOLANT AINSI LE LABORATOIRE.
CLAC

AU MEME INSTANT, LA LUMIERE ELECTRIQUE JAILLIT DE NOUVEAU, INONDANT LE LABO DE SA CLARTE CRUE . . .
MAIS OLRIK, VOYANT SON COUP MANQUE ET SES ADVERSAIRES PRETS A S'ELANCER SUR LUI, REFERME AUSSITOT LA PORTE . . .

. . . QU'IL VERROUILLE DE L'EXTERIEUR.
Oh ! Il n'ira pas bien loin, maintenant que la lumière est revenue et d'ailleurs . . .
Trop tard !!!
Allô ! Allô ! . . . Le corps de garde ? . . . Ici Blake . . . Nous sommes enfermés dans le labo . . . Oui, c'est cela . . . Mais prenez garde, un individu portant l'uniforme des C.C. va essayer de sortir du secteur. Faites garder les issues et au moindre signe de résistance, tirez-lui dessus !

Sergent ! Alertez tous les hommes disponibles... L'espion est dans le secteur !... Trois hommes avec moi, je cours au laboratoire. Vite !...
Très bien, sir !

QUELQUES MINUTES PLUS TARD...
Non, sir, nous n'avons aperçu personne en venant ici...
Enfin, il ne peut pas avoir quitté le secteur atomique puisque toutes les issues sont gardées... Fouillez tout, pièce par pièce !...
...Le drôle doit sûrement se cacher dans l'un ou l'autre recoin. Aussi, voici ce que nous allons faire : vous, Mortimer, vous allez vous occuper du labo, contrôler et, éventuellement, neutraliser les effets radioactifs de l'ampoule brisée. Je vais vous faire envoyer de l'aide. Quant à Nasir et moi, nous allons nous joindre aux recherches...
All right ! Mais soyez prudents, s'il se voit acculé, le gaillard est capable de tout... J'en sais quelque chose !...

PAR PETITS GROUPES, LE DOIGT SUR LA GACHETTE, LES SOLDATS ENTREPRENNENT L'INSPECTION DES LOCAUX DESERTS DU SECTEUR ATOMIQUE...
Ouvrez l'œil, les gars !...

CEPENDANT, OLRIK N'A PAS ATTENDU SES POURSUIVANTS. AYANT OUVERT A L'AIDE DE SON PASSE-PARTOUT, LA GRILLE D'UNE BOUCHE D'AERATION, IL S'Y GLISSE PRESTEMENT ET, EMPOIGNANT L'ECHELLE DE FER, EN COMMENCE L'ESCALADE...
On verra bien où cela nous mènera...

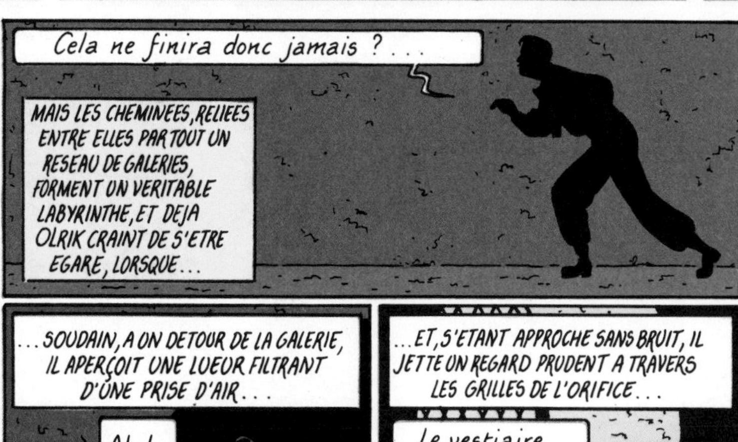

Cela ne finira donc jamais ?...
MAIS LES CHEMINEES, RELIEES ENTRE ELLES PAR TOUT UN RESEAU DE GALERIES, FORMENT UN VERITABLE LABYRINTHE, ET DEJA OLRIK CRAINT DE S'ETRE EGARE, LORSQUE...

...SOUDAIN, A UN DETOUR DE LA GALERIE, IL APERÇOIT UNE LUEUR FILTRANT D'UNE PRISE D'AIR...
Ah !
...ET, S'ETANT APPROCHE SANS BRUIT, IL JETTE UN REGARD PRUDENT A TRAVERS LES GRILLES DE L'ORIFICE...
Le vestiaire des scaphandres !...

C'EST, EN EFFET, LE VESTIAIRE DES SCAPHANDRES ET UN HOMME EST PRECISEMENT OCCUPE A REVETIR SON EQUIPEMENT DE PLONGEE, TOUT EN PESTANT...
Nom d'une pipe ! Dépêchons-nous ! Cette damnée boucle m'a mis en retard...

PENDANT CE TEMPS, AU SECTEUR ATOMIQUE, LES RECHERCHES SE POURSUIVENT EN VAIN ET BLAKE COMMENCE A S'IMPATIENTER...
Damn !... Il ne peut pourtant pas s'être évaporé !!!...

MAIS SOUDAIN UN LEGER GRINCEMENT ATTIRE L'ATTENTION DE NASIR...
CRRRSS
Hell ! La cheminée d'aération !... Je n'avais pas pensé à cela... En effet, les C.C. en possèdent les clefs...

Sahib ! Regardez !... La grille est ouverte !...
Vite ! Cours prévenir le lieutenant ! Qu'il vienne avec une demi-douzaine d'hommes. Je t'attends ici...
Bien, sahib.

MAIS RESTE SEUL, BLAKE NE PEUT RESISTER AU DESIR DE POURSUIVRE LE FUYARD.
Les minutes sont précieuses !... Ah ! Tant pis ! Ils me rejoindront...

AU MEME MOMENT, UN QUARTIER-MAITRE ENTRE EN COUP DE VENT DANS LE VESTIAIRE DES SCAPHANDRES...
Dites donc, 'O Connel ! ... On n' attend plus que vous ! ...

Hé là ! Un instant ! ... Vous oubliez vos bonbonnes ! Ah çà ! Mon vieux, où diable avez-vous la tête ? ...
?
L'INSTANT D'APRES, LES DEUX HOMMES FONT LEUR ENTREE DANS LA CHAMBRE D'IMMERSION, OU LES SCAPHANDRIERS DE LA DEUXIEME EQUIPE S'APPRETENT A ALLER RELEVER LEURS CAMARADES AUPRES DU "SII".
Alors, c'est pour aujourd'hui ?
Une boucle d'attache avait cédé, sir...

APRES UNE RAPIDE INSPECTION DES EQUIPEMENTS, LA PORTE EST OUVERTE ET LES HOMMES PENETRENT LENTEMENT DANS LE SAS DE DECOMPRESSION.
Allez-y, les gars ! ...

QUELQUES INSTANTS PLUS TARD...
Bien, ouvrez la porte du bassin...
Pression normale, sir...

CEPENDANT, BLAKE, GRACE AUX TRACES LAISSEES DANS LA POUSSIERE PAR OLRIK, ARRIVE LUI AUSSI A LA PRISE D'AIR DU VESTIAIRE...
Ah ! ... De la lumière ! ... Avançons prudemment...

La grille n'est pas fermée... C'est donc ici.

Personne ! ... Et pourtant il a dû déboucher ici, cela ne fait aucun doute... Mais ensuite ? Ah ! Voyons le dortoir ! Peut-être que...

BLAKE FAIT UN PAS EN AVANT POUR SORTIR, MAIS UNE LANIERE TRAINANT SUR LE SOL RETIENT SON PIED AU PASSAGE...
?

OR, CE QUE LE PIED DE BLAKE VIENT D'ACCROCHER N'EST AUTRE QUE LA BRIDE DE SUSPENSION DE L'APPAREIL DE RADIO DES C.C.
Un "talkie" !!! Mais alors... Ah ! Qu'y a-t-il sous ce banc ? ... Voyons...

BLAKE VIENT D'APERCEVOIR UNE SORTE DE BALLOT RECOUVERT D'UNE COUVERTURE : IL SOULEVE UN COIN DE CELLE-CI ET NE PEUT RETENIR UN CRI DE STUPEUR : UN HOMME EST COUCHE LA ! ...
Grands dieux ! ...

CEPENDANT, LES SCAPHANDRIERS ONT PENETRE DANS LA COUPOLE D'IMMERSION. APRES AVOIR BRANCHE LEUR PROJECTEUR, ILS DESCENDENT DANS LE PUITS QUI DONNE ACCES A LA GALERIE IMMERGEE CONDUISANT A LA MER.

BLAKE, BONDISSANT HORS DU VESTIAIRE, INTERPELLE UN HOMME...
Y a-t-il des scaphandriers qui partent en ce moment ?...
Oui, sir... La deuxième équipe se rassemble dans la chambre d'immersion.
...PUIS, SE PRECIPITE DANS LA CHAMBRE D'IMMERSION...
Capitaine, où sont les hommes de la deuxième équipe ?
Mais... Partis, sir !...

A CET INSTANT PRECIS, LES SCAPHANDRIERS DEBOUCHANT DE LA GALERIE IMMERGEE, ENTRENT DANS LA MER...

EN QUELQUES MOTS, BLAKE MET LE CAPITAINE DE PLONGEE AU COURANT DE LA SITUATION.
Par les galeries d'aération, l'espion atteint le vestiaire, surprend et assomme l'homme en train de s'équiper... Et prend sa place dans l'équipe montante !...
Hell ! Quelle audace !!!
H.M.S.

Allons, il n'y a pas un instant à perdre... Vite, un scaphandre et un "aquatic gun".
Tout de suite, sir !...
LE TEMPS PRESSE, EN EFFET, CAR OLRIK QUI S'EST ARRANGE POUR FERMER LA MARCHE SE LAISSE DISTANCER PEU A PEU ET, LAISSANT SES COMPAGNONS POURSUIVRE LEUR ROUTE VERS LE "S.II" OBLIQUE BRUSQUEMENT ET COMMENCE L'ASCENSION DE LA PENTE QUI MENE AU RIVAGE...

CEPENDANT, BLAKE EQUIPE, S'APPRETE A ENTRER DANS LE SAS. TANDIS QUE NASIR, SURVENU ENTRE-TEMPS, ESSAYE EN VAIN DE LE PERSUADER D'ATTENDRE UNE ESCORTE.
...Impossible, il n'a déjà que trop d'avance sur nous... Préviens sir William et le professeur...
A vos ordres, sahib... Et qu'Allah vous protège !...

PEU APRES, BLAKE SORT DE LA BASE A SON TOUR ET S'ENGAGE DANS L'OCEAN...
...Inutile de chercher du côté du "SII" ! Il va plutôt essayer de gagner la côte en montant par le fond. En avant !

LE CAPITAINE ESCALADE LA PENTE ACCIDENTEE ET ATTEINT UNE SORTE DE PROMONTOIRE. APRES AVOIR ETEINT SON PROJECTEUR, IL SE MET A SCRUTER LES ALENTOURS ENTENEBRES.
Il sera bien forcé de rallumer son projecteur d'un moment à l'autre...

SOUDAIN, A ENVIRON TROIS ENCABLURES, UNE LUMIERE JAILLIT DU CREUX D'UNE DEPRESSION !... MAIS BRUSQUEMENT, CETTE LUMIERE AGITEE DE SECOUSSES FRENETIQUES, SE MET A BALAYER EN TOUS SENS LES ROCHERS ENVIRONNANTS...
Ferait-il des signaux ?...

STUPEFAIT ET INTRIGUE, BLAKE, QUITTANT PRECIPITAMMENT SON OBSERVATOIRE, S'APPROCHE DE LA DEPRESSION, LE PISTOLET AU POING, MAIS IL RESTE PETRIFIE D'HORREUR DEVANT LE SPECTACLE QUI S'OFFRE A SA VUE...

DEVANT LUI, DANS UN BAS-FOND ROCHEUX, OLRIK, LE POIGNARD AU POING, AU MILIEU D'UN HIDEUX EMMELEMENT DE TENTACULES, SE DEBAT CONTRE UN GIGANTESQUE CALMAR.

SANS HESITER, BLAKE, D'UN BOND SAUTE DANS LA MELEE ET VISANT LES DEUX ENORMES YEUX GLAUQUES, CRIBLE LE MONSTRE DES BALLES DE SON "AQUATIC-GUN".

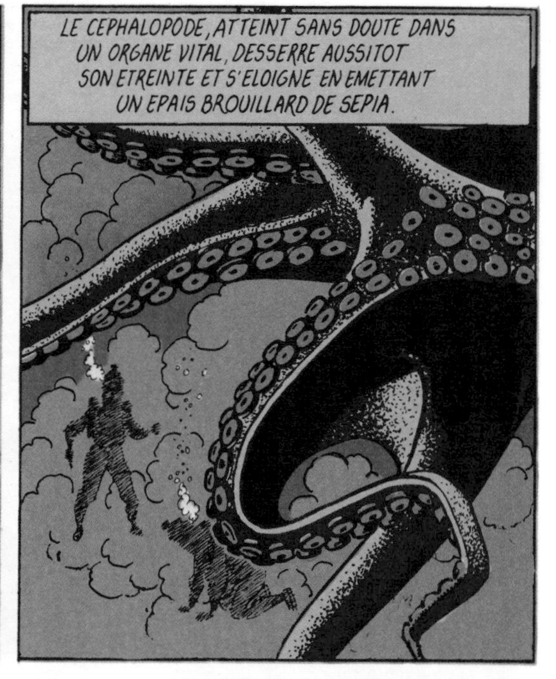
LE CEPHALOPODE, ATTEINT SANS DOUTE DANS UN ORGANE VITAL, DESSERRE AUSSITOT SON ETREINTE ET S'ELOIGNE EN EMETTANT UN EPAIS BROUILLARD DE SEPIA.

CRAIGNANT UNE NOUVELLE TRAITRISE, BLAKE S'AVANCE VERS OLRIK AFFAISSE SUR LE SABLE. MAIS CELUI-CI, EPUISE, LACHE SON POIGNARD ET FAIT SIGNE QU'IL SE REND...

PENDANT CE TEMPS, A LA BASE, MORTIMER ALARME SE PREPARE A PARTIR AVEC QUELQUES HOMMES A LA RECHERCHE DE SON AMI.
Partir seul, quelle imprudence !!!

POURTANT BLAKE ET SON PRISONNIER S'EN REVIENNENT LENTEMENT VERS LA BASE...

MAIS VOICI QU'EN TRAVERSANT UN AMONCELLEMENT DE ROCS ET DE COQUILLAGES, LE CAPITAINE SE SENT LA JAMBE BRUSQUEMENT PRISE DANS UN ETAU... UN ENORME COQUILLAGE VIENT DE SE REFERMER SUR SON PIED...

PERDANT L'EQUILIBRE, IL TOMBE A LA RENVERSE, BLAKE AUSSITOT CHERCHE A TIRER SUR LE MOLLUSQUE PAR L'INTERSTICE DES VALVES, MAIS IL CONSTATE AVEC ANGOISSE QUE SON ARME EST DECHARGEE!...

OLRIK QUI NE VOIT PLUS LE RAYON DU PROJECTEUR DE BLAKE, SE RETOURNE. APERCEVANT L'ANGLAIS A TERRE...
?

...IL REVIENT AUSSITOT SUR SES PAS ET S'APPROCHE EN RICANANT DE SON ADVERSAIRE IMMOBILISE...
Ah! Ah! Vous voilà bien attrapé, mon cher capitaine!

ET, SAISISSANT SOUDAIN LE TUYAU D'ARRIVEE D'AIR, IL S'EFFORCE DE LE FAIRE SAUTER, TANDIS QUE LE MALHEUREUX BLAKE, LA JAMBE BROYEE PAR LA BIVALVE, ESSAYE DESESPEREMENT DE SE DEFENDRE...

GENE PAR LA RESISTANCE DE SON ADVERSAIRE, OLRIK PARVIENT NEANMOINS A FAUSSER L'ARRIVEE D'AIR DE L'APPAREIL RESPIRATOIRE. ET BLAKE, DEJA, COMMENCE A FAIBLIR. MAIS LE MISERABLE INTERROMPT BRUSQUEMENT SA SINISTRE BESOGNE... DES LUMIERES VIENNENT D'APPARAITRE A PROXIMITE...
Enfer ! Les voilà !... Filons...

EN EFFET, MORTIMER ET SES HOMMES QUI S'AVANCENT VERS LA COTE, VIENNENT D'APERCEVOIR LE FAISCEAU DES PROJECTEURS.
Là !...
ABANDONNANT SA VICTIME QUI ETOUFFE, OLRIK SANS S'ATTARDER DAVANTAGE BRISE L'AMPOULE DE BLAKE, ETEINT SON PROJECTEUR ET PREND LA FUITE...

MAIS LES SAUVETEURS SE SONT ELANCES, L'"AQUATIC GUN" AU POING, ET FONÇANT A TRAVERS LES OBSTACLES SEMES SUR LEUR ROUTE...

ARRIVENT BIENTOT SUR LES LIEUX DU DRAME, OU BLAKE GIT, INANIME...
Ciel !!!

SE PORTANT IMMEDIATEMENT AU SECOURS DU MALHEUREUX, LES SCAPHANDRIERS ONT TOT FAIT DE LE DEGAGER ET DE REMETTRE EN ETAT L'APPAREIL RESPIRATOIRE, TANDIS QUE, COMPRENANT L'INUTILITE D'UNE POURSUITE HASARDEUSE

MORTIMER DONNE L'ORDRE DE RALLIER LA BASE AU PLUS VITE...
Nous nous retrouverons !...

CEPENDANT QU'A SOIXANTE BRASSEES SOUS LES FLOTS SE DEROULENT CES DRAMATIQUES EVENEMENTS, NON LOIN DE LA, SUR LA COTE, UN INDIGENE S'AVANCE AU PAS LENT DE SA MONTURE. C'EST NOTRE VIEILLE CONNAISSANCE, LE BEZENDJAS, EN MISSION DE SURVEILLANCE.

Ah! Une cabane de pêcheur !...

Le salam sur toi, pêcheur... Peux-tu m'abriter pour la nuit ?
Sois le bienvenu dans mon humble logis, bezendjas...

ET TANDIS QUE LE SOIR TOMBE, LES DEUX HOMMES, TOUT EN FUMANT, SE METTENT A DEVISER DEVANT LE FEU...
Ainsi, tu es satisfait de la vie que tu mènes dans ce coin perdu ?
Le poisson est abondant et l'endroit tranquille... Pourtant la prochaine lune ne me trouvera plus ici...
Ah ! Et pourquoi donc ? Est-ce le bruit des avions patrouilleurs qui t'effraye à ce point ?...
Non, je m'en vais parce que ces eaux sont hantées... On voit parfois d'étranges lueurs dans la mer...

...Cet après-midi même, il y eut d'effrayants grondements venant de la profondeur des flots ; la terre a tremblé et, là-bas, autour de ce rocher solitaire, j'ai vu de furieux bouillonnements...
Tiens, tiens...

PENDANT CE TEMPS, BLAKE QUI A ETE RAMENE A LA BASE ET QUI, GRACE AUX SOINS ENERGIQUES DU MEDECIN-MAJOR, A REPRIS CONNAISSANCE, PREND PART AU CONSEIL D'ETAT-MAJOR PRESIDE PAR SIR WILLIAM...
...Il est bien évident qu'Olrik va nous ramener les Jaunes, et en force...
Cela ne fait aucun doute ! Aussi, maintenant que l'équipage du "S.II" est sauf, concentrons toute notre attention sur la base...

...Examinons tout d'abord notre position stratégique... A l'est, le golfe d'Oman ; à l'ouest, le golfe persique... Mais la perte de notre dernier submersible exclut toute tentative d'évacuation, même partielle, de ce côté... Au sud, la côte, d'abord très surveillée, puis le Dahna... 700 milles à travers le "désert de feu" ! Barrière infranchissable dans les conditions actuelles ! Enfin, au nord, le détroit d'Ormuz et le Makran. Mais là encore, inutile de songer à emprunter le tunnel. Olrik en connaît l'entrée et il n'aura rien de plus pressé que d'y faire établir une souricière. Ainsi donc, gentlemen, il ne nous reste qu'une seule alternative : nous mettre sur-le-champ en état de défense. Reste à savoir si nous pouvons, oui ou non, compter sur l'aide des "Espadons" !... Grâce au ciel, ce maudit espion n'est pas parvenu à atteindre l'atelier de construction...
Non, mais il est parvenu néanmoins à réduire notre énergie au quart de sa puissance !...
Alors ?...

"L'Espadon", comme vous le savez, a été conçu pour être doté d'un dispositif robot ; une escadrille est d'ailleurs déjà sur la chaîne de montage, prête à recevoir cet appareillage. Malheureusement, la mise au point de ce dernier travail lent et minutieux est loin d'être terminée. Aussi voilà ce que je propose : remplacer le poste de radio-commande par un poste de pilotage normal et réunir tous nos efforts pour la mise en état de deux "Espadons" qui assumeront la périlleuse mission de contenir le premier choc de l'attaque ennemie. Pendant ce temps, nous terminerons les autres appareils de l'escadrille et nous les lancerons dans la bataille au fur et à mesure de leur achèvement. Cependant, je dois vous avertir que ce sera terriblement risqué et qu'il est impossible de prévoir ce qui attend l'homme qui, le premier, pilotera un pareil engin !...

C'est un risque à courir et nous n'avons pas le choix... Sir, je suis prêt à piloter le premier "Espadon"...
Et moi, le second...
All right, gentlemen ! Je n'en attendais pas moins de vous... Et combien de temps estimez-vous qu'il faut pour mettre les premiers appareils en état de combattre ?

Sauf imprévu, trente heures au minimum... Si nous tenons jusque-là !...

Nous tiendrons !... Il est maintenant minuit. Après demain, à six heures du matin, les deux premiers "Espadons" entreront en action. Ce sera la fin ou le commencement !... Au travail, professeur, et bonne chance ! Vous Blake, ordonnez le branle-bas de combat... Gentlemen, la liberté du monde dépend de nous !...
Comptez sur nous, sir !

Allô ! Allô ! A tous les secteurs ! Alerte générale !... Mettez-vous au poste de combat !... Parez aux dispositifs de securité !... Allô ! Allô !... Alerte générale !...

CEPENDANT QUE SE TERMINE CETTE IMPORTANTE CONFERENCE, LE BEZENDJAS, INTRIGUE PAR LES SINGULIERS PROPOS DU PECHEUR, DECIDE CELUI-CI A L'ACCOMPAGNER SUR LA GREVE.

Alors, c'est là, ce fameux rocher ?...

MAIS SOUDAIN, IL SEMBLE AUX DEUX HOMMES ENTENDRE PAR-DESSUS LE BRUIT DE LA MER, UNE LONGUE PLAINTE S'ELEVER PUIS S'ETEINDRE BRUSQUEMENT.
Qu'Allah nous protège ! Un revenant !!!
Tais-toi donc, vieux fou !... Quelqu'un a appelé...

PLANTANT LA SON PEUREUX COMPAGNON, LE BEZENDJAS, SAUTANT DE ROCHE EN ROCHE, S'ELANCE AUSSITOT VERS L'ENDROIT D'OU VENAIENT LES GEMISSEMENTS.
Un scaphandrier !...
Prends garde !

LE BEZENDJAS SE PENCHE SUR L'HOMME ET, PAR LE HUBLOT DEFONCE DU CASQUE, RECONNAIT AVEC STUPEUR, A LA CLARTE DE LA LUNE, LE VISAGE DE SON CHEF, LE COLONEL OLRIK...

Le colonel !!!

QUELQUES HEURES PLUS TARD...

TANDIS QU'A L'INTERIEUR DE LA BASE REGNE UNE FIEVREUSE ACTIVITE...
Enlevez-moi encore ce panneau-là... Il faut dégager l'avant autant que possible afin d'étendre la visibilité au maximum...
Entendu, professeur.
AU "CENTRAL INFORMATION", CERVEAU DE LA BASE, D'OU SIR WILLIAM ET BLAKE COORDONNENT LA DEFENSE...
Le dispositif de sécurité est en place, sir...
Très bien, Steve...

...DANS LA CABANE DU PECHEUR, OU OLRIK A ETE TRANSPORTE, LE BEZENDJAS GUETTE ANXIEUSEMENT LE VISAGE DU COLONEL QU'IL S'EFFORCE DEPUIS DES HEURES DE TIRER DE SON EVANOUISSEMENT. MAIS SOUDAIN, CELUI-CI POUSSE UN PROFOND SOUPIR ET OUVRE LES YEUX.
Enfin!!! Allah soit loué!...

Comment vous sentez-vous, sahib?... C'est moi, Razul, votre fidèle serviteur...
Ah! Le bezendjas! Comment suis-je ici?

TANDIS QUE LE BEZENDJAS RELATE BRIEVEMENT AU COLONEL LES CIRCONSTANCES QUI L'ONT AMENE A DECOUVRIR LE CORPS INANIME DE SON CHEF, OLRIK ESSAYE PENIBLEMENT DE RASSEMBLER SES SOUVENIRS...
...En voyant le hublot défoncé, j'ai eu peur, sahib...
...J'ai dû perdre ma direction et j'ai erré longtemps dans l'obscurité... J'avais perdu espoir lorsqu'enfin j'ai atteint la surface, mais alors l'air m'a manqué... Je me suis écroulé sur une roche et le hublot, en se brisant, a permis à l'air de... Mais...
Mais... Bon sang! Combien de temps a duré mon évanouissement?
Quatre heures, sahib!
Mille diables! Ils vont nous échapper!... A quelle distance se trouve le plus prochain poste?...
A quatre-vingt dix milles, sahib...

Bon! Tu vas t'y rendre sur-le-champ, porteur d'un message pour le commandant, avec ordre de le télégraphier à Karachi... La base est à nous!... Il faut alerter toutes les forces disponibles!... J'attendrai ici... Mais par l'enfer, hâte-toi!...
Comptez sur moi, sahib...

UN QUART D'HEURE PLUS TARD, TANDIS QU'A L'ORIENT LE CIEL DEJA COMMENCE A PALIR, LE BEZENDJAS EMPORTANT LE MESSAGE, S'ELOIGNE AU TROT RAPIDE DE SA MONTURE.

LE JOUR S'EST LEVE ET LES HEURES PASSENT, TROP LENTES AU GRE D'OLRIK QUI, COMPLETEMENT RETABLI, NE PEUT MAITRISER SON IMPATIENCE.
Que font-ils donc?... Voilà plus de dix heures déjà qu'il est parti!...

CEPENDANT, CHEZ SES ADVERSAIRES, LA TENSION N'EST PAS MOINDRE, ET, TANDIS QUE LES RADARS DE "VEILLE-AERIENNE" ET DE "VEILLE-SURFACE" TOURNENT SANS ARRET AU SOMMET DU ROCHER, LES DETECTEURS "ULTRA-SONS" SONT AUX ECOUTES DANS LA PROFONDEUR DES FLOTS...
MAIS, VOICI QUE, SUR LA LIGNE LUMINEUSE DE L'ECRAN DU RADAR DE "VEILLE-AERIENNE", L'OPERATEUR DE QUART VIENT, TOUT A COUP, DE DECELER L'APPARITION D'UNE MINUSCULE BRISURE EN FORME DE DENT...
Allô! Allô!... Avions à 98 milles au nord-est!...

LA NOUVELLE DE L'APPROCHE DES AVIONS ENNEMIS VIENT A PEINE DE PARVENIR AU "CENTRAL INFORMATION" QUE DEJA SE SUCCEDENT, RAPIDES ET MENAÇANTS, LES MESSAGES DES AUTRES POSTES DE VEILLE...
Allô! Allô! Ici poste de "veille-surface". Navires par 50 milles au S.-S.-E, probablement trois grosses unités et une dizaine de destroyers.. Une formation comprenant une grosse unité et cinq petits bâtiments, est signalée par 43 milles à l'O.-S.-O.
Ils viennent de Mascate, sans doute...
Et les autres de Bahrein...

Allô! Allô! Ici poste de "veille sous-marine". L'asdic signale une dizaine de sous-marins au moins, par 34 milles au S.-E. et trois ou quatre par 39 milles à O.-N.-O.

Allô! Allô! Ici poste de "veille aérienne". Grosse formation à 35 milles à l'E.-S.-E.... Semble se diviser en deux groupes... L'un d'eux obliquerait droit vers le N.-N.-O....

...Pour nous couper la retraite par le Makran, évidemment!... Eh bien, la situation se présente absolument comme nous l'avions prévue...

Absolument, sir... Aussi, vais-je passer rapidement une dernière inspection...

EN EFFET, QUELQUES MINUTES PLUS TARD, APPARAIT A L'HORIZON, REMORQUEE PAR DES QUADRIMOTEURS, UNE IMPOSANTE FORMATION DE PLANEURS TRANSPORTS DE TROUPES...

...QUI S'EN VIENNENT BIENTOT ATTERRIR L'UN APRES L'AUTRE SUR LA PLAGE... OLRIK QUI S'EST PRECIPITE VERS LES ARRIVANTS...

...PREND AUSSITOT CONTACT AVEC LE COMMANDANT DES TROUPES AEROPORTEES.
Colonel, par ordre spécial de sa majesté, toutes les troupes disponibles ont été mises à votre disposition sous votre commandement direct...
Général, je suis particulièrement sensible à cet honneur et l'Empereur, croyez-moi, n'aura pas à regretter la confiance qu'il a bien voulu me témoigner... Cette fois, nous les tenons!!!

TANDIS QUE SUR LE RIVAGE LES TROUPES AEROPORTEES PRENNENT RAPIDEMENT POSITION, FACE A LA BASE...

...OLRIK EXPOSE SON PLAN D'ATTAQUE AUX OFFICIERS DE SON ETAT-MAJOR.
Ainsi, c'est ce roc, là-bas, qu'il s'agit d'investir? Hum! Ce ne sera pas facile, je le crains!...
Oh! Certes, l'opération coûtera du monde, mais l'enjeu en vaut la peine. Pensez donc... Le repaire de l'"Espadon" !!!

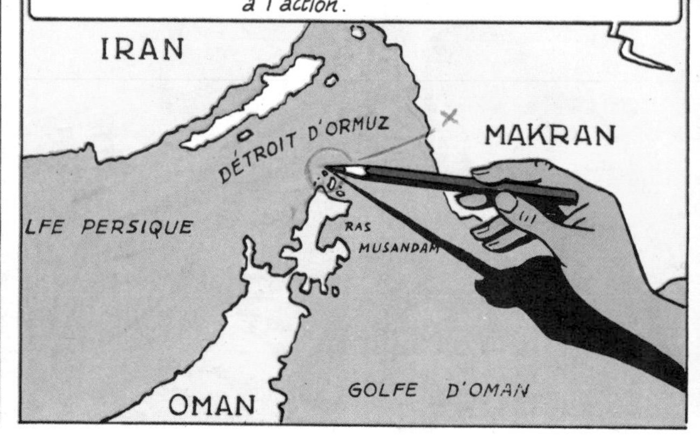
...Mais, voyez la carte, messieurs!... Nous avons ici, au centre du dispositif, la base; le roc isolé à un bon demi-mille en mer... Au sud, déployée le long de la côte, notre artillerie lui fait face. De l'autre côté du détroit, la sortie du tunnel dont l'issue est, à cette heure, gardée par nos troupes du 2ème groupe aéroporté... Enfin, à l'est et à l'ouest, la flotte et l'aéro navale... Nous pouvons donc dire que la base est pratiquement à notre merci. Aussi dès que la marine aura atteint la place qui lui est assignée dans le dispositif d'attaque, nous passerons à l'action.
IRAN
DÉTROIT D'ORMUZ
MAKRAN
LFE PERSIQUE
RAS MUSANDAM
OMAN
GOLFE D'OMAN

Mais pourquoi au lieu de risquer une attaque en terrain découvert, ne pas attendre plutôt que le 2ème groupe ait pénétré dans le tunnel?
Parce que ce groupe sera retardé par d'énormes difficultés: sables mouvants, passages et portes blindées à faire sauter à la dynamite. Etc. Et que chaque heure qui passe risque de nous priver du fruit de nos efforts, c'est-à-dire du "Secret de l'Espadon"!... Et maintenant, messieurs, permettez-moi d'aller revêtir une tenue digne de mon grade.

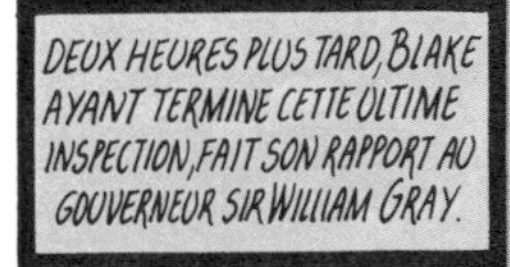
DEUX HEURES PLUS TARD, BLAKE AYANT TERMINÉ CETTE ULTIME INSPECTION, FAIT SON RAPPORT AU GOUVERNEUR SIR WILLIAM GRAY.

...J'ai vérifié tout le dispositif et je suis en ce moment dans le poste de vigie... A tous les échelons, le moral est excellent et chacun attend le choc avec calme et résolution...

...Dans les soutes dont les réserves nous permettront de tenir plusieurs semaines, les munitions sont prêtes à être montées...

...Dans les chambres de tir, où l'artillerie n'attend qu'un ordre pour entrer en action aussitôt qu'auront été enlevés les sabords de camouflage...

...Tandis que chaque embrasure est garnie de mitrailleuses, de lance-fusées, de "bazooka", etc.

...Par ailleurs, nous ne devons pas craindre une éventuelle attaque sous-marine, notre barrage de mines étant pratiquement infranchissable...

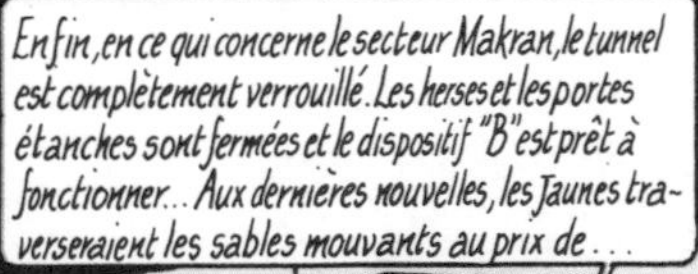
Enfin, en ce qui concerne le secteur Makran, le tunnel est complètement verrouillé. Les herses et les portes étanches sont fermées et le dispositif "B" est prêt à fonctionner... Aux dernières nouvelles, les Jaunes traverseraient les sables mouvants au prix de...

Comment?... La flotte jaune est en vue?... Bon, j'arrive!...

ET QUELQUES INSTANTS PLUS TARD...

Fumées en vue dans le 262!!!
Et voici les autres!... Parfait!

MAIS L'APPEL D'UN GUETTEUR VIENT BRUSQUEMENT INTERROMPRE LA COMMUNICATION...
Alerte! Fumée en vue dans le 98!...

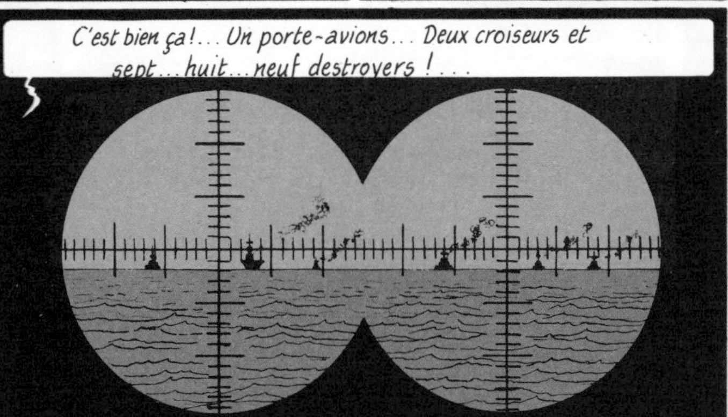
C'est bien ça!... Un porte-avions... Deux croiseurs et sept... huit... neuf destroyers!...

Sur la côte, l'artillerie semble se préparer à entrer en action!!!

Allô! Allô! Ici "Central Information"... Le poste de veille "Makran" signale que l'ennemi se trouve en ce moment devant l'entrée n° 1!...

Allô! Mortimer, la fête va commencer!... Nous allons faire l'impossible pour tenir ce qu'il faut... De votre côté, faites pour le mieux...

All right!... Comptez sur nous, old boy... Et faites-les danser en attendant!!!

Boys, le moment est venu de passer à l'action!... Vos camarades du hall de montage terminent en ce moment...

Well!... Que l'on "éclipse" les radars et que l'on dégage les embrasures!... Blake, avertissez Mortimer et veuillez ensuite me faire brancher sur le réseau général. J'aimerais dire quelques mots aux hommes avant l'action...
Bien, sir...

...l'arme qui doit nous permettre de prendre notre revanche et de reconquérir notre liberté... Le professeur Mortimer m'a demandé un délai de trente heures... Je le lui ai promis, étant certain que vous ne me démentirez pas: "England expects every man to do his duty!!!"
Hurrah!
Hurrah!
Hurrah!
Hurrah!

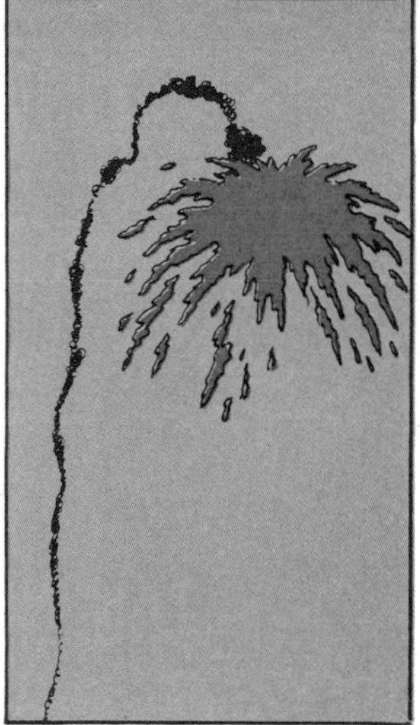
AU MÊME INSTANT, UNE FUSÉE ROUGE, TIRÉE DES LIGNES ASSAILLANTES, S'ÉLÈVE TOUT DROIT DANS LE CIEL ET ÉCLATE!... LES JAUNES ATTAQUENT!!!...

TOUT AUSSITOT, LES NAVIRES QUI SE SONT APPROCHES A MOINS DE 3 MILLES, OUVRENT LE FEU DE LEURS GROSSES PIECES...

...ILS SONT IMMEDIATEMENT SUIVIS PAR LES BATTERIES TERRESTRES DONT LES CANONS LANCE-FUSEES SE METTENT A VOMIR LEURS ENGINS DE MORT.

ET TANDIS QUE DU PORTE-AVIONS, CHASSEURS ET BOMBARDIERS PRENNENT LEUR ENVOL ET FONCENT SUR LE ROCHER COMME UNE NUEE DE VAUTOURS..

...LES SOUS-MARINS, CHARGES DE MINES VENTOUSES ET DE TORPILLES FUSEES, SE GLISSENT VERS LA GRANDE PORTE DE LA BASE...

ASSAILLI DE TOUS COTES A LA FOIS, LE ROC, DISPARAISSANT SOUS UNE PLUIE DE BOMBES, DE FUSEES ET D'OBUS, N'EST BIENTOT PLUS QU'UNE FORMIDABLE FOURNAISE...

...CEPENDANT QU'A L'AFFUT DERRIERE LEURS PIECES, LES DEFENSEURS ATTENDENT!... MAIS, SOUDAIN...
Hell! Des obus fumigènes!!!

ENFIN, APRES TRENTE MINUTES DE BOMBARDEMENT, LE TIR CESSE AUSSI BRUSQUEMENT QU'IL A COMMENCE...
Cela suffit pour l'instant... Envoyez les barges d'assaut...

PROTEGEES PAR LE RIDEAU DE FUMEE ET APPUYEES PAR LES DESTROYERS, LES BARGES D'ASSAUT, BONDEES D'HOMMES S'ELANCENT AU RAS DES FLOTS.

LES YEUX RIVES AUX BINOCULAIRES, SIR WILLIAM CHERCHE EN VAIN A PERCER LE BROUILLARD ARTIFICIEL.
Damned! Impossible de rien distinguer à travers ce satané brouillard!...

Allô! Allô! Ici "Central Information"... Veille Makran signale que les Jaunes, ayant franchi la porte 1, ont pénétré dans la caverne et s'avancent en direction du pont!!!

1st M.S DOOR
BRIDGE
GANG-WAY
RAILWAY

ET SUR L'ECRAN DU TABLEAU DE CONTROLE, VIENT S'INSCRIRE LA MARCHE INEXORABLE DE L'ENNEMI...

Bien!... P.C. à "Veille Makran"... Dispositif "B", préparez-vous... P.C. à "Artillerie". Pièces parées?... Bien...
Si le vent pouvait se lever... Ah! Les voilà!... A deux encablures!... Blake, attention!...

Feu!...

TOUTE L'ARTILLERIE DE LA BASE SE DECHAINE A LA FOIS. FOUDROYEES A BOUT PORTANT, LES BARGES COULENT AVEC LEURS EQUIPAGES, TANDIS QUE PLUSIEURS DESTROYERS QUI SE SONT IMPRUDEMMENT AVANCES, SE RETIRENT, SEVEREMENT TOUCHES...

...L'AVIATION, TROMPEE PAR L'ABSENCE DE DEFENSE ANTI-AERIENNE ET QUI FAIT DU RASE-MOTTES AUTOUR DU ROCHER, EST SUBITEMENT PRISE A PARTIE PAR LA D.C.A. TIRANT A FUSEES MAGNETIQUES...

...TANDIS QUE DE LEUR COTE, LES SUBMERSIBLES VIENNENT DONNER EN PLEIN DANS LES CHAMPS DE MINES QUI DEFENDENT LES APPROCHES DE LA GRANDE PORTE DU SAS...

LES TERRIBLES RAVAGES CAUSES PARMI LES TROUPES D'ASSAUT PAR LA VIOLENCE ET LA SOUDAINETE DE LA RIPOSTE BRISENT NET L'ELAN DES JAUNES...

Mais... mais nous perdons beaucoup de monde, colonel !

Voyons les choses de sang-froid, messieurs ! Et veuillez songer qu'en attirant l'attention des Anglais sur ce secteur, nous facilitons grandement la tâche des troupes qui progressent en ce moment par le tunnel.

EN EFFET, TANDIS QUE SUR MER LA BATAILLE FAIT RAGE, LES JAUNES QUI ONT REUSSI A FAIRE SAUTER LA PREMIERE PORTE SE DISPOSENT MAINTENANT A FRANCHIR LE PONT QUI ENJAMBE LE GOUFFRE AUX ARAIGNEES

...MAIS L'OFFICIER QUI MARCHE EN TETE, EN COUPANT SANS S'EN DOUTER, LE FAISCEAU INVISIBLE D'UN ŒIL ELECTRIQUE AU CESIUM, PROVOQUE LE DECLENCHEMENT DU "DISPOSITIF B" QUI VIENT PRECISEMENT D'ETRE BRANCHE PAR LE POSTE DE "VEILLE MAKRAN" ET...

1st DOOR
BRIDGE
GANG-WAY
RAILW

...SOUDAIN, DANS UN ECLAIR FULGURANT, SUIVI D'UNE EXPLOSION EPOUVANTABLE, L'ARCHE DU PONT TOUT ENTIER VOLE EN ECLAT, PRECIPITANT LES JAUNES DANS LE GOUFFRE ET PULVERISANT TOUT SUR SON PASSAGE, CEPENDANT QUE D'ENORMES PANS DE ROCHES, ARRACHES PAR LA VIOLENCE DE LA DEFLAGRATION...

...VIENNENT ECRASER LES SURVIVANTS QUI SE SONT ENGAGES DANS LES GALERIES ET REFLUENT EN DESORDRE...

A L'ANNONCE DE CE DESASTRE, OLRIK, LA RAGE AU CŒUR, DONNE L'ORDRE DE BATTRE EN RETRAITE, ET, BIENTOT...

Allô ! Allô ! Ici "Central Information" ! Les Jaunes se replient sur toute la ligne !...
Boys !... Le score est de 1 à 0 en faveur des Blancs !...
Well !... Mais gare à la deuxième mi-temps !...

SUR LE PORTE-AVIONS, A BORD DUQUEL OLRIK A TRANSFERE SON ETAT-MAJOR, L'ATMOSPHERE EST TENDUE. RENDUS FURIEUX PAR LEUR ECHEC, LES JAUNES RECLAMENT L'EMPLOI DES GRANDS MOYENS !

Voyons, colonel, pourquoi ne pas pulvériser tout simplement leur repaire à l'aide de nos armes atomiques et...
...Pulvériser du même coup l'"Espadon" et son secret, n'est-ce pas ?... Non, messieurs, il est absolument indispensable que cet engin nous tombe entre les mains !... Mais rassurez-vous, je connais un autre moyen...

...Ces armes n'ont pas encore été utilisées jusqu'ici, mais je vous donne ma parole qu'avant le lever du jour, le drapeau impérial flottera sur ce roc orgueilleux !...

Oh ! Ce n'est que partie remise !... Et vous pouvez parier votre dernier penny que les Jaunes nous préparent quelque chose de soigné pour cette nuit !... Aussi, plus que jamais, nous comptons sur l'"Espadon" !...

Radio, prenez note et transmettez en code l'ordre que je vais vous dicter : "Colonel Olrik, chef du corps expéditionnaire à bord du porte-avions "Kang-Hi" à général Taksa, chef de l'arsenal secret, Lhassa - stop - envoyez de toute urgence deux tonnes torpilles G.X.3 - stop - mission spéciale, priorité absolue - stop".

PENDANT CE TEMPS, DANS LE HALL DE MONTAGE...
...Oui, mon vieux, sauf accident, nous serons prêts dans les délais prévus... D'ailleurs votre victoire les a gonflés à bloc !...

LE SOIR TOMBE ET LES HEURES, LENTEMENT S'ECOULENT, LOURDES DE MENACES, TANDIS QUE DANS LES DEUX CAMPS, RADARS, DETECTEURS ET PERISCOPES FOUILLENT LA NUIT, ATTENTIFS...

RENTRANT D'UNE INSPECTION AUX BATTERIES, SIR WILLIAM ET BLAKE PENETRENT DANS LE POSTE DE VIGIE.

Rien de nouveau, Adams ?
Non, sir, sinon l'arrivée, il y a une heure, de trois bombardiers venant du E.-N.-E. et qui ont atterri sur le "Kang-Hi". Depuis lors, plus rien !...
Il fait trop calme... Cela m'inquiète...

AU MEME INSTANT...
Alerte, les Jaunes attaquent !!!

IMMEDIATEMENT, LA D.C.A. OUVRE UN FEU D'ENFER, MAIS L'ATTAQUE S'EST DECLENCHEE D'UNE FAÇON SI SOUDAINE, QUE DEUX DES BOMBARDIERS PERÇANT LES BARRAGES PARVIENNENT A PLACER PLUSIEURS COUPS AU BUT... CEPENDANT, A LA STUPEUR DES DEFENSEURS, CES ETRANGES BOMBES EN ECLATANT NE PROVOQUENT NI FRACAS, NI EXPLOSION, MAIS SEULEMENT UN ENORME VOLUME DE VAPEUR DONT LES LOURDES VOLUTES, EN SE DEROULANT, ONT BIENTOT ENVELOPPE LA BASE TOUT ENTIERE D'UN IMMENSE NUAGE VERDATRE...

ET SOUDAIN RETENTIT CE SINISTRE APPEL...
Les gaz !!! Alerte aux gaz !!! A vos masques !!!

LE SIGNAL D'ALERTE FAIT LE TOUR DE LA BASE AVEC LA RAPIDITE DE L'ECLAIR ET CHACUN, AJUSTANT SON...
MASQUE, SE PREPARE AVEC UNE DETERMINATION FAROUCHE A FAIRE FACE A CE NOUVEL ADVERSAIRE...

MAIS HELAS ! LES VAPEURS SUFFOCANTES QUI S'INSINUENT PAR LES EMBRASURES ET LES MEURTRIERES ONT TOT FAIT D'ENVAHIR LES BATTERIES ET LES CASEMATES. LES DEFENSEURS S'APERÇOIVENT BIENTOT, AVEC UNE INDICIBLE ANGOISSE, QUE LES FILTRES DE LEURS MASQUES SONT IMPUISSANTS A ARRETER CE SUBTIL POISON. SUFFOQUES, LES HOMMES TOMBENT EN SE TORDANT SUR LE SOL, LUTTANT DESESPEREMENT CONTRE CET ETRANGE ET HORRIBLE ANTAGONISTE...

ENFIN, ARRIVE L'ORDRE INEVITABLE !
A toute la défense !... Ordre de repli immédiat vers l'intérieur ! Ne laissez personne en arrière ! Fermez les portes étanches !... Vite !...

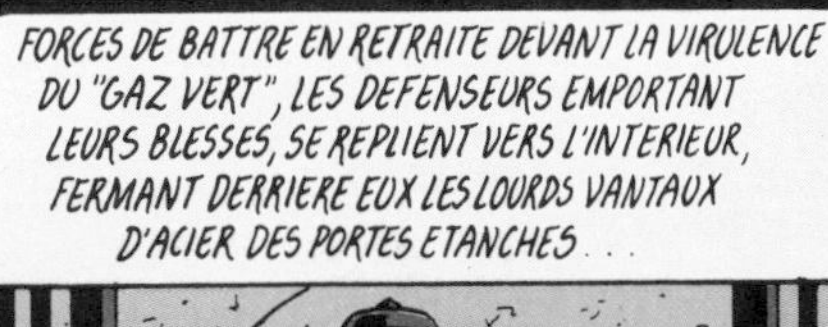
FORCES DE BATTRE EN RETRAITE DEVANT LA VIRULENCE DU "GAZ VERT", LES DEFENSEURS EMPORTANT LEURS BLESSES, SE REPLIENT VERS L'INTERIEUR, FERMANT DERRIERE EUX LES LOURDS VANTAUX D'ACIER DES PORTES ETANCHES...

Allô!... Les choses se gâtent pour nous, Mortimer!... Oui, un gaz inconnu... Nous allons mettre chaque galerie en défense et disputer le terrain pied à pied, mais nos forces déjà limitées ont subi des pertes sévères. Alors!... A propos, votre délai tient-il toujours?...
...Et comment donc!!!... Nous branchons en ce moment meme les générateurs d'oxygène... Concentrez, s'il le faut, toute la défense sur le hall et sur la centrale. Mais pour l'amour du ciel, Gouverneur, tenez!!!... Encore soixante-dix minutes!!!

BLAKE QUI SE TENAIT A L'ARRIERE-GARDE VIENT REJOINDRE SIR WILLIAM A LA BARRICADE QUI DEFEND LES APPROCHES DU HALL DE MONTAGE.
J'ai échelonné les groupes de harcèlement tout le long du parcours qui conduit à cette ultime barricade; les passages non défendables ont été minés...
Well, je pense en effet, que nous ne pouvons rien faire de plus, Blake!...

CEPENDANT, DE LA PASSERELLE DU "KANG-HI", OLRIK ET SON ETAT-MAJOR SUIVENT AVEC ATTENTION LE DEVELOPPEMENT DES OPERATIONS...
Ah! Ah! Leur tir a cessé!... Bien!... Commandant, faites avancer les barges d'assaut!...
Très bien, colonel!...

ET, POUR LA DEUXIEME FOIS, LES BARGES CHARGEES DE TROUPES CONVERGENT IMPETUEUSEMENT VERS L'ENORME ROCHER MAINTENANT SILENCIEUX...

ARRIVEES A PROXIMITE, LES EMBARCATIONS ABAISSENT LEURS PONTS VOLANTS; LES JAUNES SE JETTENT A L'EAU ET, PROTEGES PAR LEURS MASQUES SPECIAUX, S'AVANCENT AVEC RAPIDITE A TRAVERS L'ACRE FUMEE...

Capitaine, l'ennemi s'est retiré à l'intérieur, bloquant les meurtrières!
Aucune importance, lieutenant!... Faites ouvrir une brèche à l'explosif et nettoyez au lance-flammes!...

TOUT AUSSITOT, UN GROUPE DE SAPEURS ARME D'UN "PISTOLET" S'EMPRESSE DE FORER UNE SAPE DANS LES FLANCS DU COLOSSE DE PIERRE...

Le dernier acte vient de commencer, sir, et désormais les instants de l'"Espadon" sont comptés!...
Sans doute... Mais que nous soyons vaincus ou vainqueurs, je vous donne ma parole que si l'"Espadon" leur tombe entre les mains... Eh bien... Ce sera en poussière! Damned!!!

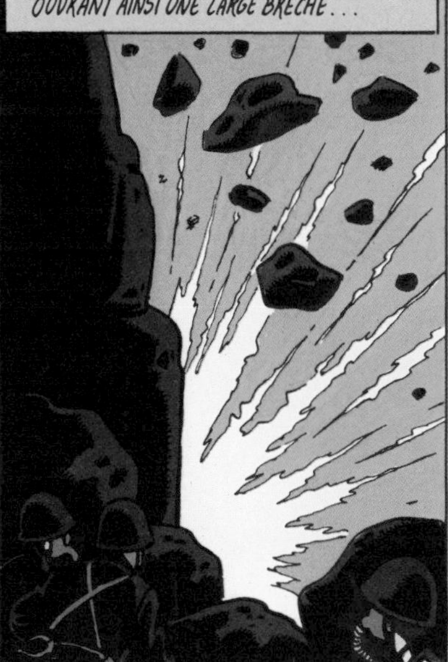
AU MEME MOMENT, AVEC UN FRACAS DE TONNERRE, LA MINE SAUTE, EVENTRANT UNE BATTERIE ET OUVRANT AINSI UNE LARGE BRECHE...

LA FUMEE DE L'EXPLOSION EST A PEINE DISSIPEE QUE DEJA LES JAUNES S'ENGOUFFRENT DANS LA BRECHE, PRECEDES DE LEURS LANCE-FLAMMES...

QUELQUES INSTANTS PLUS TARD, LES JAUNES, AVANÇANT AVEC CIRCONSPECTION, APPARAISSENT AU FOND DE LA GALERIE... LA FUSILLADE SE DECLENCHE AUSSITOT...

LES GROUPES DE RETARDEMENT LEUR OPPOSENT UNE RESISTANCE ACHARNEE, MAIS LES ASSAILLANTS, GRACE A LEURS TERRIBLES ENGINS, CALCINENT TOUT SUR LEUR PASSAGE, ENLEVENT LES POSTES LES UNS APRES LES AUTRES ET ARRIVENT FINALEMENT DEVANT LA DERNIERE PORTE QUI DEFEND LA GALERIE DU HALL DE MONTAGE. CELLE-CI SAUTE A SON TOUR...

Allons, à nous, maintenant...
Même si Mortimer termine à l'heure dite, je crains fort qu'il ne soit trop tard !...

Damned ! Plus on en tue, plus il en vient !
Oui, et s'ils parviennent à nous approcher d'assez près pour utiliser leurs lance-flammes, nous serons bel et bien rôtis comme de vulgaires poulets !!!

Mon cher Blake, je pense qu'il est inutile de se faire des illusions sur l'issue de la bataille... Prenez le commandement des survivants et repliez-vous en direction de la chambre d'immersion. Emmenez, en passant, Mortimer et ses hommes, ainsi que ceux de la centrale. Pendant ce temps, je...

MAIS A CET INSTANT, LA LUMIERE S'ETEINT BRUSQUEMENT, PLONGEANT LES ADVERSAIRES DANS L'OBSCURITE.
Bon sang ! Un court-circuit !
Ils auront touché les câbles avec leurs lance-flammes !

PROFITANT DES TENEBRES ET EN DEPIT DE LEURS PERTES, LES JAUNES SE RAPPROCHENT INSENSIBLEMENT. DEJA DES FLAMMECHES COMMENCENT A TOMBER SUR LES DEFENSEURS, MENAÇANT DANGEREUSEMENT UN TRAIN DE MUNITIONS IMMOBILISE DERRIERE LA BARRICADE...
Heavens ! Faites reculer ces satanés wagons !... Si le feu atteint les munitions, tout va sauter !!!
Impossible de faire marche arrière, sir. L'aiguillage est bloqué !

MAIS NASIR INTERVIENT...
Attendez, sahib, je connais un moyen !...

Comment, toi, Nasir ? Et lequel ?...
Eh bien, que le sahib envoie le train en avant !

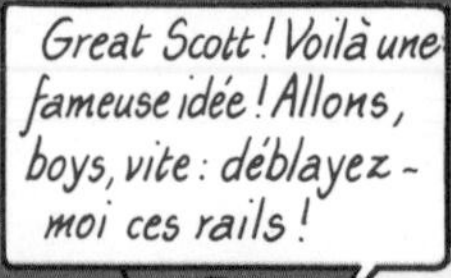
Great Scott ! Voilà une fameuse idée ! Allons, boys, vite : déblayez-moi ces rails !

EN UN CLIN D'ŒIL, LA VOIE EST DEGAGEE ET LE TRAIN POUSSE EN POSITION DE DEPART. BLAKE AYANT DECLENCHE LE DISPOSITIF DE MISE EN MARCHE, LE CONVOI S'EBRANLE AUSSITOT ET, PRENANT PEU A PEU DE LA VITESSE, FILE VERS LES POSITIONS JAUNES DANS UN BRUIT DE TONNERRE...

Good bye !!!

Et maintenant, boys, à terre et en vitesse si vous ne voulez pas vous retrouver au paradis !!!

VOYANT FONCER SUR EUX CET ETRANGE ADVERSAIRE, LES JAUNES DECONCERTES ET CROYANT A UNE CONTRE-ATTAQUE DESESPEREE DES ASSIEGES, CONCENTRENT IMMEDIATEMENT LES JETS DE LEURS LANCE-FLAMMES SUR LE CONVOI...

...LE RESULTAT NE SE FAIT PAS ATTENDRE. UNE LUEUR AVEUGLANTE JAILLIT SOUDAIN; UNE EXPLOSION ASSOURDISSANTE PULVERISE LE TRAIN ET TOUT CE QUI SE TROUVE A PORTEE, PROVOQUANT DU MEME COUP, L'ECROULEMENT D'UNE PARTIE DE LA GALERIE, TANDIS QUE LA BARRICADE DES ANGLAIS EST LITTERALEMENT SOUFFLEE PAR LA DEFLAGRATION.

ETOURDIS, CONTUSIONNES ET MEURTRIS, MAIS SAINS ET SAUFS, LES DEFENSEURS SE RELEVENT AU MILIEU DES DEBRIS DECHIQUETES, TANDIS QUE SOUS LES DECOMBRES, LES MUNITIONS CONTINUENT D'EXPLOSER EN CHAPELET...
Eh bien! Nous nous en sommes tirés à bon compte!
Oui, et cela va sérieusement les retarder!

MAIS UN APPEL RETENTIT SOUDAIN AU MILIEU DU TUMULTE...
Le professeur Mortimer demande le capitaine Blake de toute urgence!
Enfin!!!

Allez-y, Blake... Et bonne chance!
Merci, monsieur... Et comptez sur moi!

ET BLAKE S'ELANCE VERS LE HALL...
Qu'Allah te protège, sahib!
Adieu, mon brave!

SX-1
QUELQUES INSTANTS PLUS TARD, BLAKE PENETRE DANS LE HALL DE MONTAGE, DEVANT LUI, DEJA EN PLACE SUR LES CHARIOTS DE MANOEUVRE ET ENTOURES DE TECHNICIENS AFFAIRES, SE DRESSENT LE "S.X.1" ET LE "S.X.2" PREMIERS PROTOTYPES DE L'ENGIN DUQUEL DEPEND LE SORT DE MILLIONS D'HOMMES OPPRIMES :
L'ESPADON!

L'INSTANT D'APRES, TANDIS QUE MORTIMER AIDE BLAKE À S'EQUIPER, IL FAIT A CE DERNIER SES ULTIMES RECOMMANDATIONS...

...Aussi, pour permettre une plus grande résistance à la force centrifuge lors des évolutions et, afin de réduire au minimum la fatigue du pilotage, j'ai fait dresser un lit en nylon dans le cockpit. Cette disposition vous permettra les plus grandes acrobaties. Cependant l'engin n'ayant pas été conçu pour ce genre de performance, ne passez que graduellement aux grandes vitesses sans quoi vous risqueriez de perdre connaissance... Autre chose : évaluez bien la distance de l'objectif au moment de lancer les fusées atomiques afin de ne pas être pris dans les remous de l'explosion... Enfin, en cas...

A CE MOMENT, UN CONTREMAITRE SE PRECIPITE VERS MORTIMER...
Professeur, un des joints fuit dans le cockpit du "X-2". Il y en a bien pour un quart d'heure, peut-être plus...
Damn'it!!!
Ecoutez, mon vieux, les instants sont comptés. Je vais partir en avant, rejoignez-moi le plus vite possible... D'ailleurs, en cas d'échec, votre présence ici serait plus indispensable que la mienne...
Soit, mais alors gardez le contact avec nous par T.S.F. ...

UN INSTANT PLUS TARD, LE CAPITAINE, AYANT FAIT SES ADIEUX A MORTIMER, GRIMPE PRESTEMENT A BORD DU "S.X.1".
Good bye, Mortimer!...
Good luck, Blake!

PENDANT QUE BLAKE S'INSTALLE DANS LE COCKPIT, LES TECHNICIENS, SUR UN SIGNE DE MORTIMER, ACCROCHENT LE CHARIOT DE MANOEUVRE A UN PETIT TRACTEUR. L'ETRANGE MACHINE EST AUSSITOT DIRIGEE VERS LE SAS DE DEPART. LA, PAR UNE RAMPE INCLINEE, LE MYSTERIEUX "ESPADON", TEL UN GIGANTESQUE POISSON GLISSE SILENCIEUSEMENT DANS L'EAU DU BASSIN, TANDIS QUE DERRIERE LUI, SE REFERME LA PORTE DU HALL...

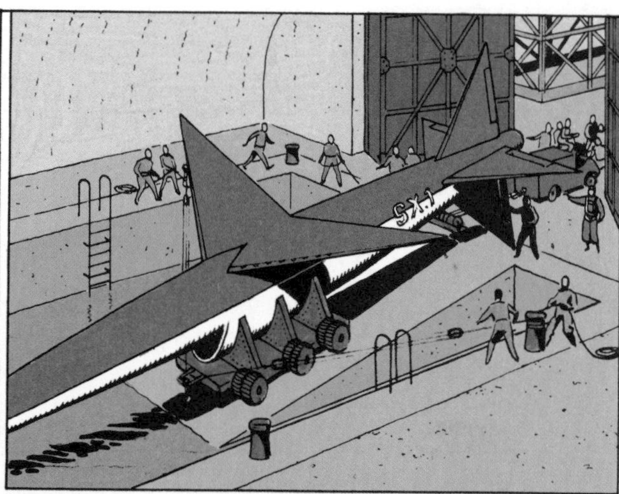

LE PROFESSEUR PREND IMMEDIATEMENT LA DIRECTION DE LA MANŒUVRE...
Paré pour les pompes !...

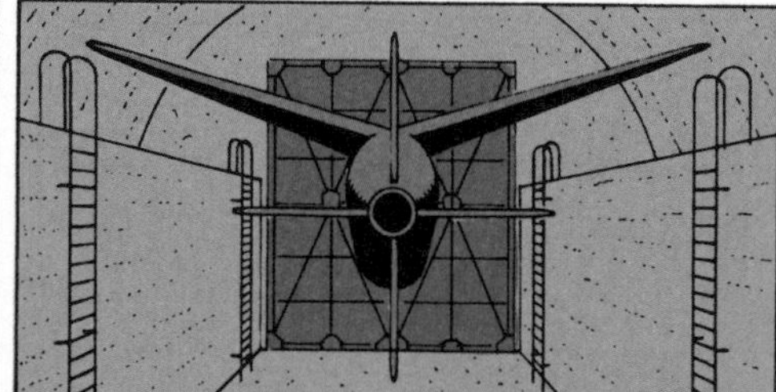

...ET L'EAU, QUI SE PRECIPITE EN BOUILLONNANT, IMMERGE RAPIDEMENT LE SAS DU DEPART.
Allô ! Blake... Tout est normal ? La pression ? L'étanchéité ?... Parfait ! Attention, j'ouvre la porte du grand sas.

ET L'"ESPADON", TRAVERSANT LE GRAND SAS AUX SOUS-MARINS, PASSE ENTRE LES BATTANTS ECARTES DE L'ENORME PORTE D'ACIER QUI COMMANDE L'ENTREE DE LA BASE, ET PENETRE DANS LA MER...

SE FAUFILANT PRUDEMMENT A TRAVERS LE BARRAGE DE MINES, BLAKE SE DIRIGE VERS LA MER LIBRE, CHERCHANT A REPERER A L'AIDE DE SON RADAR, L'EMPLACEMENT DES BATIMENTS ENNEMIS...

Allô ! Francis. Bonne nouvelle ! La réparation du "SX.2" est terminée. J'arrive !... Ah !... N'oubliez pas de couper le réservoir d'oxygène au moment d'émerger... Et surtout d'ouvrir la prise d'air !...

Compris, mon vieux !... Ah ! Voici justement l'endroit que je cherchais. Allons, Mortimer, adieu et "England for ever !!!"

A CES MOTS, BLAKE, REDRESSANT L'APPAREIL, LANCE LES MOTEURS A FOND ET L'"ESPADON", PRENANT PROGRESSIVEMENT DE LA VITESSE, S'ELANCE VERS LA SURFACE, DE TOUTE LA PUISSANCE DE SES REACTEURS...

AU MEME INSTANT, LE DRAPEAU JAUNE EST HISSE SUR LA BASE.
Hé bien ! Messieurs, ai-je tenu parole ?...

A PEINE OLRIK A-T-IL PRONONCE CES MOTS QUE L' "ESPADON", SOULEVANT UNE GIGANTESQUE GERBE D'ECUME, D'UN SAUT PRODIGIEUX...
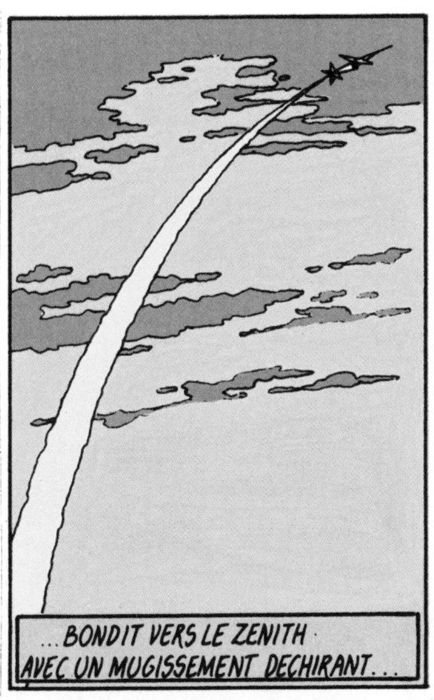
...BONDIT VERS LE ZENITH AVEC UN MUGISSEMENT DECHIRANT...

...PUIS, AMORÇANT UN VIRAGE, PIQUE DROIT SUR LE CROISEUR LOURD "KOUEN-LUN" DONT LES ARTILLEURS MEDUSES RESTENT FIGES A LEURS PIECES, INCAPABLES D'ESQUISSER LE MOINDRE GESTE DE DEFENSE...

ARRIVE A CENT YARDS DU NAVIRE, L' "ESPADON" LUI DECOCHE SOUDAIN UNE DE SES FUSEES ATOMIQUES...

...ET, TANDIS QUE LE COLOSSE FRAPPE DE PLEIN FOUET PAR LE TERRIBLE PROJECTILE, SAUTE EN VOMISSANT UN TORRENT DE FEU...

...L' "ESPADON" FONCE VERS D'AUTRES VICTIMES.

RASANT LES FLOTS A LA MANIERE D'UN HORS-BORD, L' "ESPADON" REMONTE LA LIGNE DES DESTROYERS, LES PULVERISE LES UNS APRES LES AUTRES ET NE LAISSE DANS SON SILLAGE QUE DES EPAVES EMBRASEES...

...PUIS REBONDISSANT VERS LE CIEL, APRES AVOIR EXECUTE UNE BOUCLE VERTIGINEUSE, PLONGE VERS LE PORTE-AVIONS...

A CE MOMENT, BLAKE CONSTATE AVEC EFFROI QUE L'APPAREIL NE REPOND PLUS AUX COMMANDES...
Que se passe-t-il ?... Mortimer !... Mortimer !...

...ET TEL UN BOLIDE L'ENGIN DESEMPARE FONCE DROIT SUR LA BASE QUI SEMBLE MONTER A SA RENCONTRE A UNE ALLURE VERTIGINEUSE...
Le "cervo" de profondeur s'est calé !!!

Bon sang !!! ... Le cockpit, vite !!! Larguez le cockpit !!! ... J'arrive !!! ...

SX-1

RASANT LES FLOTS A LA MANIERE D'UN HORS-BORD, L' "ESPADON" REMONTE LA LIGNE DES DESTROYERS,
LES PULVERISE LES UNS APRES LES AUTRES ET NE LAISSE DANS SON
SILLAGE QUE DES EPAVES EMBRASEES . . .

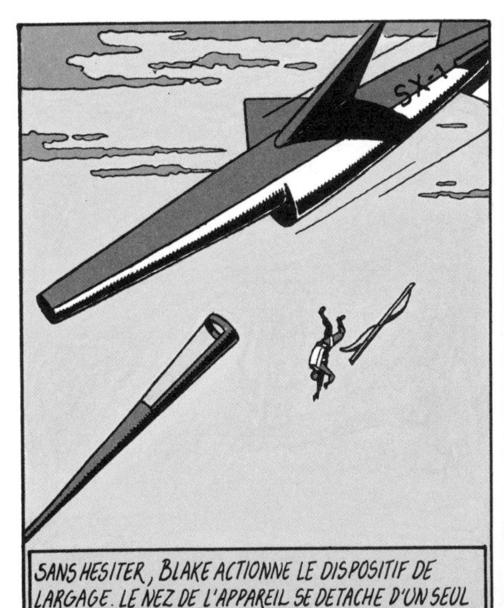
SANS HESITER, BLAKE ACTIONNE LE DISPOSITIF DE LARGAGE. LE NEZ DE L'APPAREIL SE DETACHE D'UN SEUL COUP, PROVOQUANT EN MEME TEMPS L'EJECTION AUTOMATIQUE DU PILOTE HORS DU COCKPIT...

IL ETAIT TEMPS... CINQ SECONDES PLUS TARD, LE "S.X.-1" DESEMPARE, POURSUIVANT SA COURSE, VIENT S'ECRASER CONTRE LE SOMMET DE LA BASE ET EXPLOSE AVEC LE RESTANT DE SES FUSEES ATOMIQUES, ANNIHILANT DANS UN ECLAIR FULGURANT TOUTES LES TROUPES DISSEMINEES A LA SURFACE DU ROCHER.

CEPENDANT, SOUS L'EFFET DE LA FORMIDABLE DEFLAGRATION, LA BASE SE TROUVE METAMORPHOSEE EN UN MONSTRUEUX BRA-SIER. BLAKE, PRIS DANS LES REMOUS, LUTTE POUR NEUTRALISER LES DANGEREUX EFFETS DU SOUFFLE.

MAIS LES JAUNES SE SONT RESSAISIS, LES PIECES ANTI-AERIENNES DU "KANG-LI" QUI ONT ECHAPPE AU DESASTRE, SE METTENT A ABOYER FURIEUSEMENT.

HEUREUSEMENT POUR LE CAPITAINE, LA FUMEE DES EPAVES GENE CONSIDERABLEMENT LES ARTILLEURS ET LEUR TIR SE MONTRE INEFFICACE.

La chasse !... Vite, faites donner la chasse, mille tonnerres !

DECOLLANT A TOUTE VITESSE, LES AVIONS SE RUENT A L'ATTAQUE.

MAIS A CET INSTANT, S'ELANÇANT DU FOND DE L'OCEAN, LE "S.X.-2" SURGIT SOUDAIN A LA SURFACE DES FLOTS...

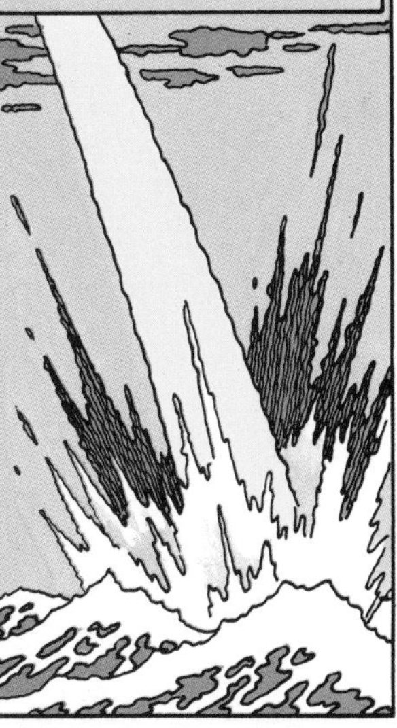

...ET DANS UN SILLAGE DE FEU, BONDIT A SON TOUR VERS LE CIEL, A LA RENCONTRE DES CHASSEURS...

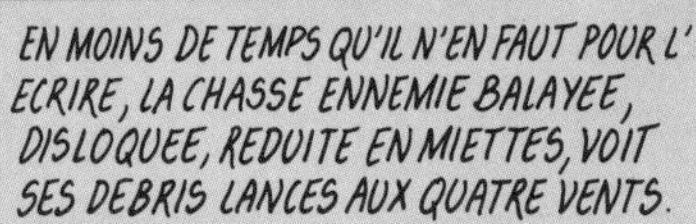
EN MOINS DE TEMPS QU'IL N'EN FAUT POUR L'ECRIRE, LA CHASSE ENNEMIE BALAYEE, DISLOQUEE, REDUITE EN MIETTES, VOIT SES DEBRIS LANCES AUX QUATRE VENTS.

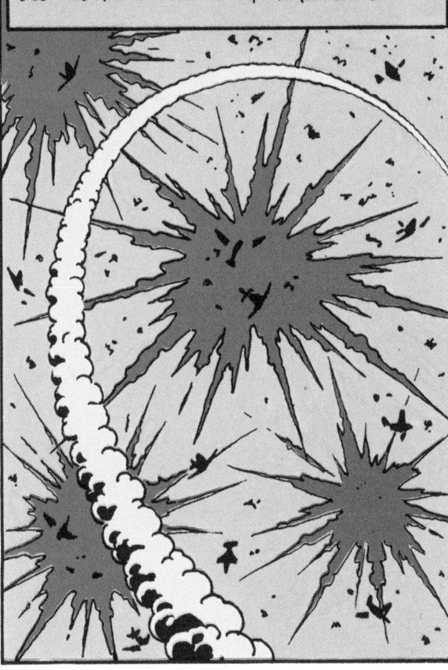

TANDIS QUE LE "S.X.-2" DEBARRASSE LE CIEL DE L'AVIA-TION, BLAKE, QU'UNE SAUTE DE VENT POUSSE VERS LE RIVAGE, SE VOIT SOUDAIN PRIS A PARTIE PAR L'ARTIL-LERIE TERRESTRE. MORTIMER COMPREND LE DANGER, AMORCE AUSSITOT UN VIRAGE ET PLONGE...

DE LA PASSERELLE DU "KANG-HI", OLRIK, BLEME DE RAGE, SUIT, IMPUISSANT, LES MENAÇANTES EVOLUTIONS DE CET ETRAN-GE ET TERRIBLE ADVERSAIRE.
Par l'enfer !... S'ils le ratent, nous sommes perdus !...

EN DEPIT DES FUSEES QUI SIFFLENT AUTOUR DE LUI, L' "ESPADON", TEL UN BOLIDE, FONCE DROIT SUR LES BATTERIES, ET...

...L'INSTANT D'APRES, DANS UN OURAGAN DE FEU, ARTILLEURS ET CANONS, DISPARAISSENT, VOLATILISES.

A CETTE VUE, OLRIK, SANS ATTENDRE DAVANTAGE, QUITTE PRECIPITAMMENT LA PASSERELLE ET S'ELANCE VERS UN APPAREIL PRET A DECOLLER...

IL ETAIT TEMPS !... DEJA LE "S.X.-2" REPART A L'ATTAQUE. FONÇANT DU HAUT DU CIEL SUR SON DERNIER ADVERSAIRE, MORTIMER LACHE UNE VOLEE DE FUSEES ATOMIQUES EN PLEIN SUR LE PONT D'ENVOL. LE "KANG-HI", EVENTRE, SAUTE AU MOMENT MEME OU L'APPAREIL D'OLRIK QUITTE LA PLATE-FORME. L'AVION FAIT UNE EMBARDEE TERRIBLE, MAIS PARVIENT A SE REDRESSER ET DISPARAIT DANS LA FUMEE.

ALORS, RASANT LES FLOTS COUVERTS D'EPAVES FUMANTES, MORTIMER, DEDAIGNANT LES QUELQUES EMBARCATIONS ECHAPPEES AU DESASTRE QUI FUIENT DANS TOUTES LES DIRECTIONS, S'APPRETE A AMERRIR. IL EST ACCLAME PAR BLAKE QUI VIENT DE TOUCHER TERRE, SAIN ET SAUF.

UNE HEURE PLUS TARD, DEVANT LE POSTE EMETTEUR DE LA BASE, SIR WILLIAM LANCE UN APPEL AU MONDE...
Allô! Allô! Ici le "Monde Libre"!... Allô! Allô!... A toutes les radios clandestines : un message important...

Aujourd'hui l'oppresseur jaune vient de subir une écrasante défaite qui prélude à son prochain anéantissement. Deux prototypes d'un nouvel engin baptisé l' "Espadon", construits dans une base secrète de la mer d'Oman, viennent d'annihiler un corps expéditionnaire

tout entier, comprenant des troupes terrestres, aériennes et navales. Une puissante escadre de ces terribles engins est sur le point d'entrer en action. Hommes libres du monde, l'heure de la délivrance a sonné! Sus à l'envahisseur!!!...

PENDANT CE TEMPS, MORTIMER S'ADRESSE AUX HOMMES DU HALL DE MONTAGE...

...Et maintenant, boys, au travail!... Il nous faut une escadrille avant qu'ils n'aient eu le temps de se remettre.

CEPENDANT, EN DEPIT DES EFFORTS DESESPERES DE LA CENSURE, LA NOUVELLE DU DESASTRE DU DETROIT D'ORMUZ, SE REPANDANT COMME UNE TRAINEE DE POUDRE, A JETE L'EMPIRE JAUNE DANS LA CONSTERNATION.

AU PALAIS IMPERIAL, LE GRAND CONSEIL SIEGE SANS INTERRUPTION DEPUIS TROIS JOURS.
...Oui, sa Majesté dont la colère est indescriptible, a décidé d'anéantir les rebelles à l'aide des fusées atomiques "Lei-Kong". A cet effet, l'Empereur a fait relier le palais à l'arsenal par un dispositif qui lui permettra, le moment venu, de déclencher le bombardement de ses propres mains, par la simple pression d'un bouton, et seule la présence de nos troupes sur le sol ennemi, l'a empêché de mettre son projet à exécution.
Mais pourquoi diable ne pas étouffer la révolte dans l'oeuf ? Atomisons l'"Espadon" dans son repaire! ...
Oui, mais les renseignements recueillis sur ce diabolique engin sont si confus et la panique qui a suivi la débâcle est si grande, que l'Etat-major a préféré attendre le rapport d'Olrik avant de risquer une nouvelle attaque. On s'est donc contenté, entre-temps, de faire surveiller la zone du détroit par l'aviation et c'est ainsi que fut retrouvé, il y a quelques heures à peine, l'avion d'Olrik immobilisé à la suite d'un atterrissage forcé parmi les falaises du Makran. On l'attend d'un moment à l'autre.

PENDANT CE TEMPS, L'EMPEREUR ENFERME DANS SON CABINET AVEC LE DOCTEUR SUN FO, ECOUTE LA LECTURE DES DERNIERES INFORMATIONS...

"...Partout surgissent de véritables armées de partisans pourvues d'un abondant matériel soustrait lors de la conquête. Paris, Madrid et Rome viennent d'être reconquis par les révoltés après de violents combats de rues. -New York : le général Ogotai a été forcé de se retrancher avec le reste de la garnison, dans Coney Island -Buenos-Aires : les troupes du 8e corps, démoralisées, se sont mutinées..."

"...Changhai : le général Tchang-Li-Tchek s'est révolté et a passé à l'ennemi avec la 48ème division blindée..."
Assez !!!

Traîtres! Lâches! Mes propres officiers!... Eh bien tant mieux! Il n'y a plus désormais d'obstacle à ma vengeance et... Mais non! Une mort foudroyante et inattendue serait beaucoup trop douce... Il faut qu'ils sachent d'abord!... Fo!... Fo! Branchez-moi sur le réseau mondial et faites annoncer une émission spéciale.
Oui, Majesté!...
...Alors que, tapis au fond de la vallée de Yen-Wang-Ye, mille engins de mort n'attendent qu'un geste de ma main, pour jaillir vers le ciel !!!

Mais, très puissant Empereur, lorsque votre auguste main aura libéré toutes ces forces inconnues et terribles, ne peut-on craindre de voir l'Empire entraîné à son tour dans la catastrophe que votre divin courroux aura provoquée ?...
Eh bien, périsse donc l'Empire!... Mais que ma volonté s'accomplisse !!!
Ah! Ah! Comment ces misérables peuvent-ils être assez vains pour oser se dresser devant moi!...

O puissant Empereur, la ligne est branchée!...
Ah!...

Allô! Allô! Ici radio Lhassa!... Emission speciale!... Allo! Allo! Ecoutez! Ecoutez!... Votre maître, le grand, l'illustre, le magnanime Empereur Basam-Damdu, du haut de son inaccessible grandeur daigne vous parler...

ET L'EMPEREUR PARLE . . .
A genoux, misérable vermine! A genoux devant ma sublime grandeur!... Préparez-vous à comparaître devant l'implacable maître des dix tribunaux, car moi, Basam le Grand, Empereur du Pic de l'Est, je vous condamne à mort, vous qui avez osé, dans votre inconcevable orgueil, vous dresser contre la volonté de mon incommensurable puissance! . . .

... Dans la vallée du Yen-Wang-Ye, des centaines d'engins d'une puissance terrifiante . . .

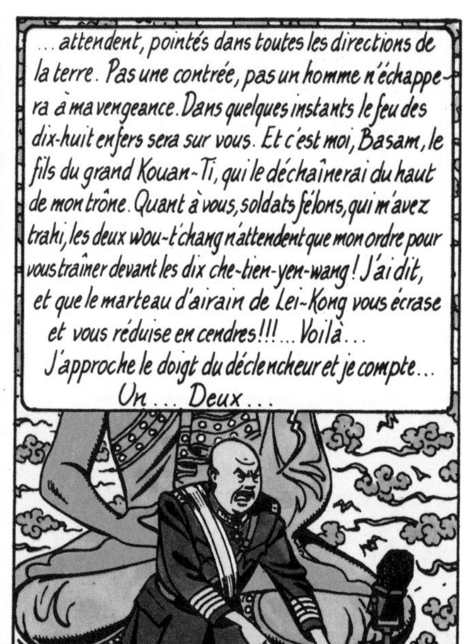
... attendent, pointés dans toutes les directions de la terre. Pas une contrée, pas un homme n'échappera à ma vengeance. Dans quelques instants le feu des dix-huit enfers sera sur vous. Et c'est moi, Basam, le fils du grand Kouan-Ti, qui le déchaînerai du haut de mon trône. Quant à vous, soldats félons, qui m'avez trahi, les deux wou-t'chang n'attendent que mon ordre pour vous traîner devant les dix che-tien-yen-wang! J'ai dit, et que le marteau d'airain de Lei-Kong vous écrase et vous réduise en cendres!!! ... Voilà . . . J'approche le doigt du déclencheur et je compte . . . Un . . . Deux . . .

Sublime Majesté, le colonel Olrik sollicite la faveur d'être reçu de toute urgence...
Ah!... J'allais l'oublier!!! Qu'il entre!!!

Sire, j'ai échappé par miracle à la catastrophe et j'ai rallié Lhassa au plus vite afin de me mettre aux ordres de votre Majesté et de l'aider de mes modestes conseils . . .
Je te reconnais bien là ! ... Et que me conseilles-tu, fidèle serviteur?

Sire, pulvérisez sur l'heure le repaire aux "Espadons" avec nos armes atomiques! Et comme j'ai un compte personnel à régler avec ces gens-là, je réclame l'honneur de lancer la première fusée! . . .
Ton vœu sera exaucé ! . . .

Gardes! Saisissez-vous de ce traître et attachez-le à la première fusée qui partira!!! . . .
Sire !?!

MAIS A CET INSTANT, MONTANT DES PROFONDEURS DE LA VALLEE, LA SIRENE DE L'ARSENAL FAIT ENTENDRE SON LUGUBRE ULULEMENT . . .

E.P. JACOBS

D'UN BOUT A L'AUTRE DE LA BASE DE LANCEMENT, LE TIR DE LA D.C.A.
SE DECHAINE AVEC FURIE !...

A CE BRUIT, L'EMPEREUR ET LES GARDES SE SONT ARRETES INTERDITS...
Que... Que signifie ce vacarme ?!?...
Cela signifie, ô puissant monarque que l'"Espadon" survole en ce moment ton Empire... Ah ! Ah ! Ah !...

EN EFFET, EN DEPIT DU TIR FRENETIQUE ET IMPUISSANT DE LA D.C.A., UNE ESCADRILLE D' "ESPADONS", COMMANDEE PAR BLAKE ET MORTIMER EVOLUE AU-DESSUS DE LA VALLEE DU YEN-WANG-YE...
SX-2
SX-5
SX-3
SX-4

CEPENDANT L'EMPEREUR, TRANSPORTE DE FUREUR PAR LES SARCASMES D'OLRIK, S'EST PRECIPITE AU BALCON...
Par tous les diables de l'enfer, abattez-les !!! Abattez-les !!!

Trop tard, Basam Damdu !... Trop tard !... Prépare-toi plutôt à comparaître honorablement devant le juge infernal !!!
Que dis-tu, chien ? Trop tard ?! Ah ! Ah !... J'ai encore le temps de faire sauter la planète avec moi !!!

ET, IVRE DE FOLIE HOMICIDE, L'EMPEREUR SE RUE VERS LE TABLEAU DE COMMANDE...
Je vous pulvériserai tous !!!

MAIS A CET INSTANT PRECIS, LA BOMBE LANCEE PAR BLAKE ECLATE !... DANS UNE VISION D'ENFER, LE FIRMAMENT S'EMBRASE, ANNIHILANT D'UN SEUL COUP TOUS LES ENGINS RANGES SUR LA BASE DE LANCEMENT. ET TANDIS QUE LE PALAIS IMPERIAL, BALAYE PAR LE SOUFFLE DU FEU, S'ECROULE TEL UN CHATEAU DE CARTES, L'ORGUEILLEUSE CITE, ETALEE A SES PIEDS, S'ALLUME COMME UNE TORCHE...

Mission remplie! Raid réussi!...
SX 3
SX.7
SX.4
DANS UNE VISION D'APOCALYPSE, L'EFFROYABLE DESTRUCTION QUI S'ETEND A TRAVERS LES STEPPES ET LES VALLEES, RAVAGE LE PAYS SUR DES DIZAINES DE MILLES. L'ESCADRILLE, SA MISSION TERMINEE, FAIT DEMI-TOUR ET MET LE CAP SUR SA BASE, CEPENDANT QUE BLAKE, LACONIQUEMENT, FAIT SON RAPPORT...

ET LA NOUVELLE PARVIENT A LA BASE OU ELLE SOULEVE UN ENTHOUSIASME INDESCRIPTIBLE.
Boys! Le raid a réussi! L'arsenal et la ville sont détruits! La victoire est à nous!!!
Hip! Hip! Hurrah!...

ET LA RADIO LANCE AUSSITOT SUR LES ONDES CET EXALTANT BULLETIN DE VICTOIRE...

Allô! Allô! Ici le "Monde libre"!... Citoyens du monde, la victoire est totale!... Ce soir, une importante formation d'"Espadons", sous les ordres du capitaine Blake et du professeur Mortimer, a rasé la capitale de l'Empire Jaune et son terrible arsenal secret. Au moment où Basam Damdu, le tyran sanguinaire, s'apprêtait à déchaîner sur le globe la plus effroyable des catastrophes. Privés désormais de directive et de tout ravitaillement, les quelques îlots de résistance encore existants sont d'ores et déjà voués à l'extermination!... Citoyens du monde, vous êtes libres!!!...

DEUX HEURES PLUS TARD, L'ESCADRILLE VICTORIEUSE RENTRE A SA BASE, SALUEE PAR LES VIVATS DE LA GARNISON MASSEE SUR LE GLORIEUX ROCHER!

FIN

UN MOIS PLUS TARD, A LONDRES...
Mon dieu! Que de ruines!...
Oui, vieux camarade, mais nous rebâtirons et, une fois encore, la civilisation aura eu le dernier mot! Espérons que cette fois, ce sera pour de bon!!!...

FIN

SX-2
SX-3
SX-5